Soumission

MICHEL HOUELLEBECQ

Soumission

ROMAN

I

« *Un brouhaha le ramena à Saint-Sulpice ; la maîtrise partait ; l'église allait se clore. J'aurais bien dû tâcher de prier, se dit-il ; cela eût mieux valu que de rêvasser dans le vide ainsi sur une chaise ; mais prier ? Je n'en ai pas le désir ; je suis hanté par le Catholicisme, grisé par son atmosphère d'encens et de cire, je rôde autour de lui, touché jusqu'aux larmes par ses prières, pressuré jusqu'aux moelles par ses psalmodies et par ses chants. Je suis bien dégoûté de ma vie, bien las de moi, mais de là à mener une autre existence il y a loin ! Et puis... et puis... si je suis perturbé dans les chapelles, je redeviens inému et sec, dès que j'en sors. Au fond, se dit-il, en se levant et en suivant les quelques personnes qui se dirigeaient, rabattues par le suisse vers une porte, au fond, j'ai le cœur racorni et fumé par les noces, je ne suis bon à rien.* »

(J.K. Huysmans, *En route*)

Pendant toutes les années de ma triste jeunesse, Huysmans demeura pour moi un compagnon, un ami fidèle ; jamais je n'éprouvai de doute, jamais je ne fus tenté d'abandonner, ni de m'orienter vers un autre sujet ; puis, une après-midi de juin 2007, après avoir longtemps attendu, après avoir tergiversé autant et même un peu plus qu'il n'était admissible, je soutins devant le jury de l'université Paris IV – Sorbonne ma thèse de doctorat : *Joris-Karl Huysmans, ou la sortie du tunnel*. Dès le lendemain matin (ou peut-être dès le soir même, je ne peux pas l'assurer, le soir de ma soutenance fut solitaire, et très alcoolisé), je compris qu'une partie de ma vie venait de s'achever, et que c'était probablement la meilleure.

Tel est le cas, dans nos sociétés encore occidentales et social-démocrates, pour tous ceux qui terminent leurs études, mais la plupart n'en prennent pas, ou pas immédiatement conscience, hypnotisés qu'ils sont par le désir d'argent, ou peut-être de consommation chez les plus primitifs, ceux qui ont développé l'addiction la plus violente à certains produits (ils sont une minorité, la plupart, plus réfléchis et plus posés, développant une fascination simple pour l'argent, ce « Protée infatigable »), hypnotisés plus encore par le désir de faire leurs preuves, de se tailler une place sociale enviable dans un monde qu'ils imaginent et espèrent compétitif, galvanisés qu'ils sont par l'adoration d'icônes variables : sportifs, créateurs de mode ou de portails Internet, acteurs et modèles.

Pour différentes raisons psychologiques que je n'ai ni la compétence ni le désir d'analyser, je m'écartais sensiblement d'un tel schéma. Le 1er avril 1866, alors âgé de dix-huit ans, Joris-Karl Huysmans débuta sa carrière, en tant qu'employé de sixième classe, au ministère de l'Intérieur et des cultes. En 1874, il publia à compte d'auteur un premier recueil de poèmes en prose, *Le drageoir à épices*, qui fit l'objet de peu de recensions hors un article, extrêmement fraternel, de Théodore de Banville. Ses débuts dans l'existence, on le voit, n'eurent rien de fracassant.

Sa vie administrative s'écoula, et plus généralement sa vie. Le 3 septembre 1893, la Légion d'honneur lui fut décernée pour ses mérites au sein de la fonction publique. En 1898 il prit sa retraite, ayant accompli – les disponibilités pour convenances personnelles une fois prises en compte – ses trente années de service réglementaires. Il avait entretemps trouvé le moyen d'écrire différents livres qui m'avaient fait, à plus d'un siècle de distance, le considérer comme un ami. Beaucoup de choses, trop de choses peut-être ont été écrites sur la littérature (et, en tant qu'universitaire spécialisé dans ce domaine, je me sens plus que tout autre habilité à en parler). La spécificité de la littérature, *art majeur* d'un Occident qui sous nos yeux se termine, n'est pourtant pas bien difficile à définir. Autant que la littérature, la musique peut déterminer un bouleversement, un renversement émotif, une tristesse ou une extase absolues ; autant que la littérature, la peinture peut générer un émerveillement, un regard neuf porté sur le monde. Mais seule la littérature peut vous donner cette sensation de contact avec un autre esprit humain, avec l'intégralité de cet esprit, ses faiblesses et ses grandeurs, ses limitations, ses petitesses, ses idées fixes, ses croyances ; avec tout ce qui l'émeut, l'intéresse, l'excite ou lui répugne. Seule la littérature peut vous permettre d'entrer en contact avec l'esprit d'un mort, de manière plus directe, plus complète et plus profonde que ne le ferait même la conversation avec un ami – aussi profonde, aussi durable que soit une amitié, jamais on ne se livre, dans une conversation, aussi complètement qu'on ne le fait devant une feuille vide, s'adressant à un destinataire inconnu. Alors bien entendu, lorsqu'il est question de littérature, la beauté du style, la musicalité des phrases ont leur importance ; la profondeur de la réflexion de l'auteur, l'originalité de ses pensées ne sont pas à dédaigner ; mais un auteur c'est avant tout un être humain, présent dans ses livres, qu'il écrive très bien ou très mal en définitive importe peu, l'essentiel est qu'il écrive et qu'il soit, effectivement, présent dans ses livres (il est étrange qu'une condition si simple, en apparence si peu discriminante, le soit en réalité tellement, et que ce fait évident, aisément observable, ait été si peu exploité par les philosophes de diverses obédiences : parce que les êtres humains possèdent en principe, à défaut de qualité, une même quantité d'être, ils sont tous en principe à peu près également *présents* ; ce n'est pourtant pas l'impression qu'ils donnent, à quelques siècles de distance, et trop souvent on voit s'effilocher, au fil de pages qu'on sent dictées par l'esprit du temps davantage que par une individualité propre, un être incertain, de plus en plus fantomatique et anonyme). De même, un livre qu'on aime, c'est avant tout un livre dont on aime l'auteur, qu'on a envie de retrouver, avec lequel on a envie de passer ses journées. Et pendant ces sept années qu'avait duré la rédaction de ma thèse j'avais vécu dans la compagnie de Huysmans, dans sa présence quasi permanente. Né rue Suger, ayant vécu rue de Sèvres et rue Monsieur, Huysmans est mort rue Saint-Placide avant d'être inhumé au cimetière du Montparnasse. Sa vie presque entière en somme s'est déroulée dans les limites du sixième arrondissement de Paris – comme sa vie professionnelle, pendant plus de trente ans, s'est déroulée dans les bureaux du minis-tère de l'Intérieur et des cultes. J'habitais alors moi aussi le sixième arrondissement de Paris, dans une chambre humide et froide, extrême-ment sombre surtout – les fenêtres donnaient sur une cour minuscule, presque un puits, il fallait allumer dès le début de la matinée. Je souffrais de la pauvreté, et si j'avais dû répondre à l'un de ces sondages qui tentent régulièrement de « prendre le pouls de la jeunesse », j'aurais sans doute défini mes conditions de vie comme « plutôt difficiles ». Pourtant, le matin qui suivit la soutenance de ma thèse (ou peut-être le soir même), ma première pensée fut que je venais de perdre quelque chose d'inappréciable, quelque chose que je ne retrouverais jamais : ma liberté. Pendant plusieurs années, les ultimes résidus d'une social-démocratie agonisante m'avaient permis (à travers une bourse d'études, un système de réductions et d'avantages sociaux étendu, des repas médiocres mais bon marché au restaurant universitaire) de consacrer l'ensemble de mes journées à une activité que j'avais choisie : la libre fréquentation intellectuelle d'un ami. Comme le note avec justesse André Breton, l'humour de Huysmans présente le cas unique d'un humour généreux, qui donne au lecteur un coup d'avance, qui invite le lecteur à se moquer par avance de l'auteur, de l'excès de ses descriptions plaintives, atroces ou risibles. Et cette générosité j'en avais profité mieux que personne, recevant mes rations de céleri rémoulade ou de purée cabillaud, dans les casiers de ce plateau métallique d'hôpital que le restaurant universitaire Bullier délivrait à ses infortunés usagers (ceux qui n'avaient manifestement nulle part où aller, qui avaient sans doute été refoulés de tous les restaurants universitaires acceptables, mais qui cependant avaient leur carte d'étudiant, on ne pouvait pas leur enlever ça), lorsque je songeais aux épithètes de Huysmans, le *désolant* fromage, la *redoutable* sole, et que je m'imaginais le parti que Huysmans, qui ne les avait pas connus, aurait pu tirer de ces carcéraux casiers métalliques, et je me sentais un peu moins malheureux, un peu moins seul, au restaurant universitaire Bullier.

Mais tout cela était fini ; ma jeunesse, plus généralement, était finie. Bientôt maintenant (et sans doute assez vite), j'allais devoir m'engager dans un processus d'insertion professionnelle. Ce qui ne me réjouissait nullement.

Les études universitaires dans le domaine des lettres ne conduisent comme on le sait à peu près à rien, sinon pour les étudiants les plus doués à une carrière d'enseignement universitaire dans le domaine des lettres – on a en somme la situation plutôt cocasse d'un système n'ayant d'autre objectif que sa propre reproduction, assorti d'un taux de déchet supérieur à 95 %. Elles ne sont cependant pas nuisibles, et peuvent même présenter une utilité marginale. Une jeune fille postulant à un emploi de vendeuse chez Céline ou chez Hermès devra naturellement, et en tout premier lieu, soigner sa présentation ; mais une licence ou un mastère de lettres modernes pourra constituer un atout secondaire garantissant à l'employeur, à défaut de compétences utilisables, une certaine agilité intellectuelle laissant présager la possibilité d'une évolution de carrière – la littérature, en outre, étant depuis toujours assortie d'une connotation positive dans le domaine de l'industrie du luxe.

J'avais pour ma part conscience de faire partie de la minime frange des « étudiants les plus doués ». J'avais écrit une bonne thèse, je le savais, et je m'attendais à une mention honorable ; je fus quand même agréablement surpris par les *félicitations du jury à l'unanimité*, et surtout lorsque je découvris mon rapport de thèse, qui était excellent, presque dithyrambique : j'avais dès lors de bonnes chances d'être qualifié, si je le souhaitais, au titre de maître de conférences. Ma vie en somme continuait, par son uniformité et sa platitude prévisibles, à ressembler à celle de Huysmans un siècle et demi plus tôt. J'avais passé les premières années de ma vie d'adulte dans une université ; j'y passerais probablement les dernières, et peut-être dans la même (tel ne fut en réalité pas exactement le cas : j'avais obtenu mes diplômes à l'université de Paris IV – Sorbonne, et je fus nommé à celle de Paris III, un peu moins prestigieuse, mais située elle aussi dans le cinquième arrondissement, à quelques centaines de mètres de distance).

Je n'avais jamais eu la moindre vocation pour l'enseignement – et, quinze ans plus tard, ma carrière n'avait fait que confirmer cette absence de vocation initiale. Quelques cours particuliers donnés dans l'espoir d'améliorer mon niveau de vie m'avaient très tôt convaincu que la transmission du savoir était la plupart du temps impossible ; la diversité des intelligences, extrême ; et que rien ne pouvait supprimer ni même atténuer cette inégalité fondamentale. Peut-être plus grave encore, je n'aimais pas les jeunes – et je ne les avais jamais aimés, même du temps où je pouvais être considéré comme faisant partie de leurs rangs. L'idée de jeunesse impliquait me semblait-il un certain enthousiasme à l'égard de la vie, ou peut-être une certaine révolte, le tout accompagné d'une au moins vague sensation de supériorité par rapport à la génération que l'on était appelé à remplacer ; je n'avais jamais, en moi, rien ressenti de semblable. J'avais pourtant eu des amis, du temps de ma jeunesse – ou plus exactement il y avait eu certains condisciples avec lesquels je pouvais envisager, sans dégoût, d'aller boire un café ou une bière à l'intercours. Surtout, j'avais eu des maîtresses – ou plutôt, comme on le disait à l'époque (et comme on le disait peut-être encore), j'avais eu des *copines* – à raison d'à peu près une par an. Ces relations amoureuses se déroulèrent suivant un schéma relativement immuable. Elles prenaient naissance en début d'année universitaire à l'occasion d'un TD, d'un échange de notes de cours, enfin d'une de ces multiples occasions de socialisation, si fréquentes dans la vie de l'étudiant, et dont la disparition consécutive à l'entrée dans la vie professionnelle plonge la plupart des êtres humains dans une solitude aussi stupéfiante que radicale. Elles suivaient leur cours tout au long de l'année, des nuits étaient passées chez l'un ou chez l'autre (enfin surtout chez elles, l'ambiance glauque voire insalubre de ma chambre se prêtait quand même mal à des *rendez-vous galants*), des actes sexuels avaient lieu (à une satisfaction que je me plais à imaginer mutuelle). À l'issue des vacances d'été, au début donc de la nouvelle année universitaire, la relation prenait fin, presque toujours à l'initiative des filles. Elles avaient *vécu quelque chose* au cours de l'été, telle était l'explication qu'elles me donnaient, le plus souvent sans précision complémentaire ; certaines, moins soucieuses sans doute de me ménager, me précisaient qu'elles avaient *rencontré quelqu'un*. Oui, et alors ? Moi aussi, j'étais *quelqu'un*. Avec le recul, ces explications factuelles me paraissent insuffisantes : elles avaient effectivement, je ne le nie pas, *rencontré quelqu'un* ; mais ce qui leur avait fait attribuer à cette rencontre un poids suffisant pour interrompre notre relation, et pour s'engager dans une relation nouvelle, n'était que l'application d'un modèle de comportement amoureux puissant mais implicite, et d'autant plus puissant qu'il demeurait implicite.

Selon le modèle amoureux prévalant durant les années de ma jeunesse (et rien ne me laissait penser que les choses aient significativement changé), les jeunes gens, après une brève période de vagabondage sexuel correspondant à la préadolescence, étaient supposés s'engager dans des relations amoureuses exclusives, assorties d'une monogamie stricte, où entraient en jeu des activités non seulement sexuelles mais aussi sociales (sorties, week-ends, vacances). Ces relations n'avaient cependant rien de définitif, mais devaient être considérées comme autant d'apprentissages de la relation amoureuse, en quelque sorte comme des *stages* (dont la pratique se généralisait par ailleurs sur le plan professionnel en tant que préalable au premier emploi). Des relations amoureuses de durée variable (la durée d'un an que j'avais pour ma part observée pouvant être considérée comme acceptable), en nombre variable (une moyenne de dix à vingt apparaissant comme une approximation raisonnable), étaient censées se succéder avant d'aboutir, comme une apothéose, à la relation ultime, celle qui aurait cette fois un caractère conjugal et définitif, et conduirait, via l'engendrement d'enfants, à la constitution d'une famille.

La parfaite inanité de ce schéma ne devait m'apparaître que beaucoup plus tard, assez récemment en fait, lorsque j'eus l'occasion, à quelques semaines d'intervalle, de rencontrer par hasard Aurélie, puis Sandra (mais, j'en suis persuadé, la rencontre de Chloé ou de Violaine n'aurait pas sensiblement modifié mes conclusions). Dès que j'arrivai dans le restaurant basque où j'avais invité Aurélie à dîner, je compris que j'allais passer une soirée sinistre. Malgré les deux bouteilles d'Irouléguy blanc que je fus à peu près le seul à boire, j'éprouvai des difficultés croissantes, qui devinrent vite insurmontables, à maintenir un niveau raisonnable de communication chaleureuse. Sans que je parvienne vraiment à me l'expliquer, il me parut tout de suite indélicat et presque impensable d'évoquer des souvenirs communs. Quant au présent, il était évident qu'Aurélie n'avait nullement réussi à s'engager dans une relation conjugale, que les aventures occasionnelles lui causaient un dégoût croissant, que sa vie sentimentale en résumé s'acheminait vers un désastre irrémédiable et complet. Elle avait essayé pour-

tant, au moins une fois, je le compris à différents indices, et ne s'était pas remise de cet
échec, l'amertume et l'aigreur avec lesquelles
elle évoquait ses collègues masculins (nous en
étions venus, faute de mieux, à parler de sa vie
professionnelle – elle était chargée de communication au syndicat interprofessionnel des vins
de Bordeaux, et voyageait par conséquent beaucoup, en particulier en Asie, pour promouvoir
les crus français) révélaient avec une cruelle
évidence qu'elle avait *pas mal morflé*. Je fus surpris lorsqu'elle m'invita cependant, juste avant
de sortir du taxi, à « boire un dernier verre »,
elle est vraiment au bout du rouleau me dis-
je, je savais déjà au moment où les portes de
l'ascenseur se refermèrent sur nous qu'il ne se
passerait rien, je n'avais même pas envie de
la voir nue, j'aurais préféré éviter cela, cela se
produisit pourtant, et ne fit que confirmer ce
que je pressentais déjà : ce n'est pas seulement
sur le plan émotionnel qu'elle avait *morflé*, son
corps avait subi des dommages irréparables,
ses fesses et ses seins n'étaient plus que des
surfaces de chair amaigries, réduites, flasques
et pendantes, elle ne pouvait plus, ne pourrait
jamais plus être considérée comme un objet
de désir.

Mon repas avec Sandra se déroula à peu
près suivant le même schéma, aux variations
individuelles près (restaurant de fruits de mer,
emploi de secrétaire de direction dans une
multinationale pharmaceutique), et sa terminaison fut en gros identique, à ceci près que
Sandra, plus rebondie et plus joviale qu'Aurélie,

me laissa sur une impression de déréliction moins profonde. Sa tristesse était grande, elle était irrémédiable, et je savais qu'elle finirait par recouvrir tout ; comme Aurélie elle n'était au fond qu'un *oiseau mazouté*, mais elle avait gardé, si je puis m'exprimer ainsi, une capacité supérieure à agiter ses ailes. Dans un an ou deux elle aurait laissé de côté toute ambition matrimoniale, sa sensualité non parfaitement éteinte la pousserait à rechercher la compagnie de jeunes gens, elle deviendrait ce qu'on appelait dans ma jeunesse une *cougar*, et cela durerait sans doute quelques années, une dizaine dans le meilleur des cas, avant que l'affaissement cette fois rédhibitoire de ses chairs ne la conduise à une solitude définitive.

J'aurais pu du temps de mes vingt ans, du temps où je bandais sous n'importe quel prétexte et parfois même sans raison, où je bandais en quelque sorte *dans le vide*, être tenté par une relation de ce genre, à la fois plus satisfaisante et plus lucrative que mes cours particuliers, je pense que j'aurais pu à l'époque *assurer*, mais maintenant bien entendu il ne pouvait plus en être question, mes érections plus rares et plus hasardeuses demandaient des corps fermes, souples et sans défaut.

Ma propre vie sexuelle, les premières années qui suivirent ma nomination au poste de maître de conférences à l'université de Paris III – Sorbonne, ne connut pas d'évolution notable. Je continuai, année après année, à coucher avec des étudiantes de la fac – et le fait que j'étais par rapport à elles en position d'enseignant n'y changeait pas grand-chose. La différence d'âge entre moi et ces étudiantes était quoi qu'il en soit au début assez mince, et ce n'est que peu à peu qu'une dimension de transgression vint s'introduire, liée davantage à l'évolution de mon statut universitaire qu'à mon vieillissement réel ou même apparent. Je bénéficiai en somme pleinement de cette inégalité de base qui veut que le vieillissement chez l'homme n'altère que très lentement son potentiel érotique, alors que chez la femme l'effondrement se produit avec une brutalité stupéfiante, en quelques années, parfois en quelques mois. La seule vraie différence par rapport à mes années d'étudiant, c'est que c'était en général moi, maintenant, qui mettais fin à la relation en début d'année universitaire. Je ne le faisais nullement par donjuanisme, ni par désir d'un libertinage effréné. Contrairement à mon collègue Steve, chargé avec moi de l'enseignement de la littérature du XIXe siècle aux première et deuxième années, je ne me précipitais pas avec avidité, dès le premier jour de la rentrée, pour observer les « nouveaux arrivages » des étudiantes de première année (avec ses sweat-shirts, ses baskets Converse et son look vaguement californien, il me faisait à chaque fois penser à Thierry Lhermitte dans *Les Bronzés*, lorsqu'il sort de sa case pour assister à l'arrivée au club des estivantes de la semaine). Si j'interrompais mes relations avec ces jeunes filles, c'était plutôt sous l'effet d'un découragement, d'une lassitude : je ne me sentais plus réellement en état d'entretenir une relation amoureuse, et je souhaitais éviter toute déception, toute désillusion. Je changeais d'avis en cours d'année universitaire, sous l'influence de facteurs externes et très anecdotiques – en général une jupe courte.

Et puis, cela aussi s'interrompit. J'avais fait mes adieux à Myriam fin septembre, nous étions déjà mi-avril, l'année universitaire approchait de son terme et je ne l'avais toujours pas remplacée. J'avais été nommé professeur des universités, ma carrière académique atteignait là une sorte d'accomplissement, mais je ne pensais pas que l'on puisse réellement établir de rapport. C'est par contre peu de temps après ma séparation d'avec Myriam que je rencontrai Aurélie, puis Sandra, et il y avait là une connexion troublante, et déplaisante, et inconfortable. Parce que je dus m'en rendre compte, en y repensant au fil des jours : nous étions beaucoup plus proches que nous ne l'imaginions, mes *ex* et moi, les relations sexuelles épisodiques non inscrites dans une perspective de couple durable avaient fini par nous inspirer un sentiment de désillusion comparable. Je ne pouvais, contrairement à elles, m'en ouvrir à personne, car les conversations sur la vie intime ne font pas partie des sujets considérés comme admissibles dans la société des hommes : ils parleront de politique, de littérature, de marchés financiers ou de sports, conformément à leur nature ; sur leur vie amoureuse ils garderont le silence, et cela jusqu'à leur dernier souffle.

Étais-je, vieillissant, victime d'une sorte d'andropause ? Cela aurait pu se soutenir, et je décidai pour en avoir le cœur net de passer mes soirées sur *Youporn*, devenu au fil des ans un site porno de référence. Le résultat fut, d'entrée de jeu, extrêmement rassurant. *Youporn* répondait aux fantasmes des hommes normaux, répartis à la surface de la planète, et j'étais, cela se confirma dès les premières minutes, un homme d'une normalité absolue. Ce n'était après tout pas évident, j'avais consacré une grande partie de ma vie à l'étude d'un auteur souvent considéré comme une sorte de *décadent*, dont la sexualité n'était de ce fait pas un sujet très clair. Eh bien, je sortis tout à fait rasséréné de l'épreuve. Ces vidéos tantôt magnifiques (tournées avec une équipe de Los Angeles, il y avait une équipe, un éclairagiste, des machinistes et des cadreurs), tantôt minables mais *vintage* (les amateurs allemands) reposaient sur quelques scénarios identiques et agréables. Dans l'un des plus répandus, un homme (jeune ? vieux ? les deux versions existaient) laissait sottement dormir son pénis au fond d'un caleçon ou d'un short. Deux jeunes femmes de race variable s'avisaient de cette incongruité, et n'avaient dès lors de cesse de libérer l'organe de son abri temporaire. Elles lui prodiguaient pour l'enivrer les plus affolantes agaceries, le tout étant perpétré dans un esprit d'amitié et de complicité féminines. Le pénis passait d'une bouche à l'autre, les langues se croisaient comme se croisent les vols des hirondelles, légèrement inquiètes, dans le ciel sombre du Sud de la Seine-et-Marne, alors qu'elles s'apprêtent à quitter l'Europe pour leur pèlerinage d'hiver. L'homme, anéanti par cette assomption, ne prononçait que de faibles paroles ; épouvantablement faibles chez les Français (« Oh putain ! », « Oh putain je jouis ! », voilà à peu près ce qu'on pouvait attendre d'un peuple régicide), plus belles et plus intenses chez les Américains (« Oh my God ! », « Oh Jesus-Christ ! »), témoins exigeants, chez qui elles semblaient une injonction à ne pas négliger les dons de Dieu (les fellations, le poulet rôti), quoi qu'il en soit je bandais, moi aussi, derrière mon écran iMac 27 pouces, tout allait donc pour le mieux.

Depuis que j'avais été nommé professeur, mes horaires de cours réduits m'avaient permis de regrouper l'ensemble de mes tâches universitaires sur la journée du mercredi. Cela commençait, de huit à dix heures, par un cours sur la littérature du XIXe siècle que je donnais aux étudiants de deuxième année – dans le même temps, Steve donnait, dans un amphithéâtre voisin, un cours analogue à ceux de première année. De onze à treize heures, j'assurais le cours de mastère 2 sur les décadents et les symbolistes. Puis, entre quinze et dix-huit heures, j'animais un séminaire où je répondais aux questions des doctorants.

J'aimais prendre le métro un peu après sept heures, me donner l'illusion fugitive d'appartenir à la « France qui se lève tôt », celle des ouvriers et des artisans, mais je devais être à peu près le seul dans ce cas, car je faisais cours à huit heures devant une salle quasi déserte, hormis un groupe compact de Chinoises, d'un sérieux réfrigérant, qui parlaient peu entre elles, et jamais à personne d'autre. Dès leur arrivée, elles allumaient leur smartphone pour enregistrer l'intégralité de mon cours, ce qui ne les empêchait pas de prendre des notes sur de grands cahiers 21 × 29,7 à spirale. Elles ne m'interrompaient jamais, ne posaient aucune question, et les deux heures passaient sans me donner l'impression d'avoir véritablement commencé. À la sortie de mon cours je rencontrais Steve, qui avait eu une assistance comparable – à ceci près que les Chinoises étaient remplacées dans son cas par un groupe de Maghrébines voilées, mais tout aussi sérieuses, aussi impénétrables. Il me proposait presque toujours d'aller prendre un verre – généralement un thé à la menthe à la grande mosquée de Paris, qui était située à quelques rues de la fac. Je n'aimais pas le thé à la menthe, ni la grande mosquée de Paris, je n'aimais pas non plus tellement Steve, je l'accompagnais pourtant. Il m'était reconnaissant je pense d'accepter, car il n'était pas très respecté de ses collègues en général, de fait on pouvait se demander comment il avait accédé au statut de maître de conférences alors qu'il n'avait rien publié, dans aucune revue importante ni même de second plan, et qu'il n'était l'auteur que d'une vague thèse sur Rimbaud, *sujet bidon* par excellence, comme me l'avait expliqué Marie-Françoise Tanneur, l'une de mes autres collègues, elle-même une spécialiste reconnue de Balzac, des milliers de thèses ont été écrites sur Rimbaud, dans toutes les universités de France, des pays francophones et même au-delà, Rimbaud est probablement le sujet de thèse le plus rabâché au monde, à l'exception peut-être de Flaubert, alors il suffit d'aller chercher deux ou trois thèses anciennes, soutenues dans des universités de province, et de les interpoler vaguement, personne n'a les moyens matériels de vérifier, personne n'a les moyens ni même l'envie de se plonger dans les centaines de milliers de pages inlassablement tartinées sur le *voyant* par des étudiants dépourvus de personnalité. La carrière universitaire plus qu'honorable de Steve était uniquement due, toujours selon Marie-Françoise, à ce qu'il *broutait le minou de la mère Delouze*. C'était possible, quoique surprenant. Avec ses épaules carrées, ses cheveux gris en brosse et son cursus implacablement *gender studies*, Chantal Delouze, la présidente de l'université de Paris III – Sorbonne, me paraissait une lesbienne 100 % brut de béton, mais je pouvais me tromper, peut-être éprouvait-elle d'ailleurs une rancune envers les hommes, s'exprimant par des fantasmes dominateurs, peut-être le fait de contraindre le gentil Steve, avec son joli et inoffensif visage, ses cheveux mi-longs, bouclés et fins, à s'agenouiller entre ses cuisses trapues, lui procurait-il des extases d'un genre nouveau. Vrai ou faux je ne pouvais m'empêcher d'y songer, ce matin-là, dans le patio du salon de thé de la grande mosquée de Paris, en le regardant téter sa dégoûtante chicha aromatisée à la pomme.

Sa conversation portait, comme de coutume, sur les nominations et les évolutions de carrière au sein de la hiérarchie universitaire, je ne crois pas qu'il ait jamais abordé de lui-même un autre sujet. Son sujet de préoccupation ce matin-là était la nomination au poste de maître de conférences d'un type de vingt-cinq ans, auteur d'une thèse sur Léon Bloy, qui avait selon lui des « relations avec la mouvance identitaire ». J'allumai une cigarette pour gagner du temps, tout en me demandant ce que ça pouvait bien lui foutre. L'idée me traversa même un instant l'esprit que *l'homme de gauche* se réveillait en lui, puis je me raisonnai : l'homme de gauche était profondément endormi en Steve, et aucun événement de moindre importance qu'un glissement politique des instances dirigeantes de l'Université française n'aurait été en mesure de le sortir de son sommeil. C'était peut-être un signe, poursuivit-il, d'autant qu'Amar Rezki, connu pour ses travaux sur les auteurs antisémites du début du XXe siècle, venait d'être nommé professeur. Par ailleurs, insista-t-il, la conférence des présidents d'université s'était récemment associée à une opération de boycott des échanges avec les chercheurs israéliens, initiée au départ par un groupe d'universités anglaises.

Profitant de ce qu'il se concentrait sur sa chicha, qui tirait mal, je consultai discrètement ma montre et constatai qu'il n'était que dix heures et demie, je pouvais difficilement arguer de l'imminence de mon second cours pour prendre congé, puis une idée me vint pour relancer la conversation sans grands risques : depuis quelques semaines on reparlait d'un projet vieux d'au moins quatre ou cinq ans concernant l'implantation d'une réplique de la Sorbonne à Dubaï (ou au Bahrein ? ou au Qatar ? je les confondais). Un projet similaire était à l'étude avec Oxford, l'ancienneté de nos deux universités avait dû séduire une pétromonarchie quelconque. Dans cette perspective, certainement prometteuse d'opportunités financières réelles pour un jeune maître de conférences, envisageait-il de se mettre sur les rangs en affichant des positions antisionistes ? Et pensait-il que j'avais intérêt à adopter la même attitude ?

Je jetai à Steve un regard brutalement inquisiteur – ce garçon n'était pas d'une grande intelligence, il était facile de le déstabiliser, mon regard eut un effet rapide. « En tant que spécialiste de Bloy » bafouilla-t-il, « tu sais certainement des choses sur ce courant identitaire, antisémite... » Je soupirai, épuisé : Bloy n'était pas antisémite, et je n'étais nullement un spécialiste de Bloy. J'avais bien entendu été amené à parler de lui, à l'occasion de mes recherches sur Huysmans, et à comparer leur utilisation de la langue, dans mon seul ouvrage publié, *Vertiges des néologismes* – sans doute le sommet de mes efforts intellectuels terrestres, qui avait obtenu en tout cas d'excellentes critiques dans *Poétique* et dans *Romantisme*, et auquel je devais probablement ma nomination au grade de professeur. De fait, une grande partie des mots étranges que l'on trouve chez Huysmans n'étaient pas des néologismes, mais des mots rares empruntés au vocabulaire spécifique de certaines corporations artisanales, ou à certains patois régionaux. Huysmans, c'était ma thèse, était resté jusqu'au bout un naturaliste, soucieux d'incorporer le parler réel du peuple à son œuvre, il était peut-être même dans un sens resté le socialiste qui participait dans sa jeunesse aux soirées de Médan chez Zola, son mépris croissant pour la gauche n'avait jamais effacé son aversion initiale pour le capitalisme, l'argent, et tout ce qui pouvait s'apparenter aux valeurs bourgeoises, il était en somme le type unique d'un *naturaliste chrétien*, alors que Bloy, constamment avide d'un succès commercial ou mondain, ne cherchait par ses néologismes incessants qu'à se singulariser, s'établir comme lumière spirituelle persécutée, inaccessible au monde, il avait choisi un positionnement mystico-élitiste dans la société littéraire de son temps, et ne cessa par la suite de s'étonner de son échec, et de l'indifférence pourtant légitime que suscitaient ses imprécations. C'était, écrit Huysmans, « un malheureux homme, dont l'orgueil est vraiment diabolique, et la haine incommensurable ». Dès le début, Bloy m'était apparu en effet comme le prototype du *catholique mauvais*, dont la foi et l'enthousiasme ne s'exaltent vraiment que lorsqu'il peut considérer ses interlocuteurs comme damnés. J'avais pourtant, du temps que j'écrivais ma thèse, été en contact avec différents cercles catho-royalistes de gauche, qui divinisaient Bloy et Bernanos, et me faisaient miroiter telle ou telle lettre manuscrite, avant de m'apercevoir qu'ils n'avaient rien, absolument rien à m'offrir, aucun document que je ne puisse aisément trouver par moi-même dans les archives normalement accessibles au public universitaire.

« Tu es certainement sur la piste de quelque chose… Relis Drumont » dis-je cependant à Steve, plutôt pour lui faire plaisir, et il posa sur moi un regard obéissant et naïf d'enfant opportuniste. Devant la porte de ma salle de cours – j'avais prévu ce jour-là de parler de Jean Lorrain – trois types d'une vingtaine d'années, deux Arabes et un Noir, bloquaient l'entrée, aujourd'hui ils n'étaient pas armés et avaient l'air plutôt calmes, il n'y avait rien de menaçant dans leur attitude, il n'empêche qu'ils obligeaient à traverser leur groupe pour entrer dans la salle, il me fallait intervenir. Je m'arrêtai en face d'eux : ils devaient certainement avoir pour consigne d'éviter les provocations, de traiter avec respect les enseignants de la fac, enfin je l'espérais.

« Je suis professeur dans cette université, je dois donner mon cours maintenant » dis-je d'un ton ferme en m'adressant à l'ensemble du groupe. Ce fut le Noir qui me répondit, avec un grand sourire. « Pas de problème, monsieur, on est juste venus rendre visite à nos sœurs… » fit-il en désignant l'amphithéâtre d'un geste apaisant. En fait de sœurs il n'y avait que deux filles d'origine maghrébine, assises l'une à côté de l'autre, en haut et à gauche de l'amphi, vêtues d'une burqa noire, les yeux protégés par un grillage, enfin elles étaient largement irréprochables, me semblait-il. « Eh ben c'est bon, vous les avez vues… » conclus-je avec bonhomie. « Maintenant, vous pouvez repartir » insistai-je. « Pas de problème, monsieur » répondit-il en souriant encore plus largement, puis il tourna les talons, suivi par les autres, qui n'avaient pas prononcé une parole. Trois pas plus loin, il se retourna vers moi. « La paix soit sur vous, monsieur... » dit-il en s'inclinant légèrement. « Ça s'est bien passé... » me dis-je en refermant la porte de la salle, « ça s'est bien passé cette fois-ci ». Je ne sais pas à quoi je m'attendais au juste, il y avait eu des rumeurs d'agressions d'enseignants à Mulhouse, à Strasbourg, à Aix-Marseille et à Saint-Denis, mais je n'avais jamais rencontré de collègue agressé et au fond je n'y croyais pas vraiment, d'après Steve un accord avait d'ailleurs été conclu entre les mouvements de jeunes salafistes et les autorités universitaires, il en voyait pour preuve que les voyous et les dealers avaient complètement disparu, depuis deux ans déjà, des abords de la fac. L'accord comportait-il une clause interdisant l'accès de la fac aux organisations juives ? Là encore ce n'était qu'un bruit, difficilement vérifiable, mais le fait est que l'Union des étudiants juifs de France n'était plus représentée, depuis la dernière rentrée, sur aucun campus de la région parisienne, alors que la section jeunesse de la Fraternité musulmane avait, un peu partout, multiplié ses antennes.

Sortant de mon cours (en quoi les deux vierges en burqa pouvaient-elles être intéressées par Jean Lorrain, ce pédé dégoûtant, qui se proclamait lui-même *enfilanthrope* ? leurs pères étaient-ils au courant du contenu exact de leurs études ? la littérature avait bon dos), je tombai sur Marie-Françoise, qui émit l'idée de déjeuner ensemble. Ma journée serait, décidément, sociale.

J'aimais bien cette divertissante vieille peste, assoiffée de ragots à l'extrême ; son ancienneté en tant que professeur, sa position dans certains comités consultatifs donnaient à ses ragots davantage de poids, et de teneur, qu'à ceux qui pouvaient parvenir à l'insignifiant Steve. Elle opta pour un restaurant marocain de la rue Monge – ce serait, également, une journée hallal.

La mère Delouze, attaqua-t-elle au moment où le serveur apportait nos plats, était sur un siège éjectable. Le Conseil national des universités, qui se réunissait début juin, allait très probablement nommer Robert Rediger en remplacement.

Je jetai un bref regard à mon tagine agneau – artichauts avant de tenter, à tout hasard, un haussement de sourcils surpris. « Oui, je sais » dit-elle, « ça peut paraître énorme, mais ce sont plus que des bruits, j'ai eu des échos extrêmement précis. »

Je m'excusai pour aller aux toilettes afin de consulter discrètement mon smartphone, on trouve vraiment n'importe quoi maintenant sur Internet, une recherche de deux minutes à peine m'apprit que Robert Rediger était célèbre pour ses positions pro-palestiniennes, et qu'il avait été l'un des principaux artisans du boycott des universitaires israéliens ; je me lavai soigneusement les mains avant de rejoindre ma collègue.

Mon tagine avait quand même eu le temps de refroidir un peu, c'était dommage. « Ils ne vont pas attendre les élections pour faire ça ? » demandai-je après avoir goûté une première bouchée, ça me paraissait une bonne question.

« Les élections ? Les élections, pour quoi faire ? Qu'est-ce que ça peut y changer ? » Apparemment, ma question n'était pas si bonne que ça.

— Eh bien je ne sais pas, il y a quand même la présidentielle dans trois semaines...

— Tu sais très bien que c'est plié, ça va faire comme en 2017, le Front national sera au second tour et la gauche sera réélue, je ne vois vraiment pas pourquoi le CNU se ferait chier à attendre les élections.

« — Il y a le score de la Fraternité musulmane, quand même, qui est une inconnue, s'ils dépassent la barre symbolique des 20 %, ça peut peser sur le rapport de forces... » Cette affirmation était bien sûr une connerie, les électeurs de la Fraternité musulmane se reporteraient à 99 % sur le Parti socialiste, ça ne pourrait en aucun cas changer quoi que ce soit au résultat, mais les mots de *rapport de forces* en imposent toujours dans une conversation, ça fait lecteur de Clausewitz et de Sun Tzu, et puis j'étais assez content de *barre symbolique* aussi, en tout cas Marie-Françoise hocha la tête comme si je venais d'exprimer une idée, et elle soupesa, longuement, les conséquences d'une éventuelle entrée de la Fraternité musulmane au gouvernement sur la composition des instances dirigeantes universitaires, son intelligence combinatoire s'exerçait, je n'écoutais plus vraiment, j'observais le défilement des hypothèses sur son visage aigu et vieux, il faut bien s'intéresser à quelque chose dans la vie me dis-je, je me demandais à quoi je pourrais m'intéresser moi-même si ma sortie de la vie amoureuse se confirmait, je pourrais prendre des cours d'œnologie peut-être, ou collectionner les modèles réduits d'avions.

Mon après-midi de TD fut épuisant, les doctorants dans l'ensemble étaient épuisants, pour eux il commençait à y avoir un enjeu et pour moi plus du tout, à part choisir le plat indien que je ferais réchauffer au micro-ondes le soir (*Chicken Biryani ? Chicken Tikka*

Masala ? Chicken Rogan Josh ?) en regardant le débat politique sur France 2.

Ce soir c'était la candidate du Front national, elle affirmait son amour de la France (« mais quelle France ? » lui opposaient sans grande pertinence des commentateurs de centre-gauche), je me demandais si ma vie amoureuse était vraiment terminée, ce n'était pas certain au fond, j'envisageai pendant une bonne partie de la soirée de téléphoner à Myriam, j'avais l'impression qu'elle ne m'avait pas remplacé, plusieurs fois je l'avais croisée à la fac et elle m'avait jeté un regard qu'on pouvait qualifier d'intense, mais elle avait toujours eu un regard intense à vrai dire, même lorsqu'il s'agissait de choisir un après-shampoing, il ne fallait pas que je me monte la tête, j'aurais peut-être mieux fait de m'engager sur le plan politique, les militants des différentes formations vivaient en cette période électorale des moments intenses alors que je m'étiolais, ce n'était pas contestable.

« Heureux ceux que satisfait la vie, ceux qui s'amusent, ceux qui sont contents », c'est ainsi que Maupassant ouvre l'article qu'il écrivit sur *À rebours* dans *Gil Blas*. L'histoire littéraire a en général été dure avec l'école naturaliste, Huysmans a été encensé pour avoir secoué son joug, l'article de Maupassant est pourtant bien plus profond et plus sensible que celui que Bloy écrivait à la même époque dans *Le chat noir*. Même les objections de Zola, à les relire, paraissent plutôt sensées ; il est vrai que des Esseintes, psychologiquement, reste le même de la première à la dernière page, que rien ne se passe et ne peut même se passer dans ce livre, que l'action y est, en un sens, nulle ; il est non moins vrai que Huysmans ne pouvait en aucun cas continuer *À rebours*, que ce chef-d'œuvre était une impasse ; mais n'est-ce pas le cas de tous les chefs-d'œuvre ? Huysmans ne pouvait plus, après un tel livre, être un naturaliste, et c'est surtout cela que Zola a retenu, là où Maupassant, davantage artiste, considérait en premier lieu le chef-d'œuvre. J'exposai ces idées dans un bref article pour le *Journal des dix-neuvièmistes*, ce qui m'apporta une distraction de quelques jours, bien supérieure à celle offerte par la campagne électorale, mais ne m'empêcha pas le moins du monde de repenser à Myriam.

Elle avait dû être une ravissante petite gothique, au temps pas si lointain de son adolescence, avant de devenir une jeune fille plutôt classe avec ses cheveux noirs coupés au carré, sa peau très blanche, ses yeux sombres ; classe mais sobrement sexy ; et, surtout, les promesses de son érotisme discret étaient bien davantage que tenues. L'amour chez l'homme n'est rien d'autre que la reconnaissance pour le plaisir donné, et jamais personne ne m'avait donné autant de plaisir que Myriam. Elle pouvait contracter sa chatte à volonté (tantôt doucement, par lentes pressions irrésistibles, tantôt par petites secousses vives et mutines) ; elle tortillait son petit cul avec une grâce infinie avant de me l'offrir. Quant à ses fellations, je n'avais jamais rien connu de semblable, elle abordait chaque fellation comme si c'était la première, et que ce devait être la dernière de sa vie. Chacune de ses fellations aurait suffi à justifier la vie d'un homme.

Je finis par l'appeler, après avoir encore tergiversé quelques jours ; nous convînmes de nous voir le soir même.

On continue de tutoyer ses *anciennes copines*, c'est la coutume, mais on remplace le baiser par la *bise*. Myriam portait une jupe courte et noire, des collants également noirs, je l'avais invitée chez moi, je n'avais pas très envie d'aller au restaurant, elle jeta un regard curieux sur la pièce avant de s'asseoir au fond du canapé, sa jupe était vraiment courte et elle s'était maquillée, je lui demandai si elle voulait boire quelque chose, un bourbon si tu as me dit-elle.

« Tu as changé quelque chose... », elle avala une gorgée, « mais je ne vois pas quoi.

— Les rideaux. » J'avais installé des doubles-rideaux orange et ocre, à motifs vaguement ethniques. J'avais aussi acheté une pièce de tissu assortie, que j'avais jetée sur le canapé.

Elle se retourna, s'agenouillant sur le canapé pour examiner les rideaux. « Ils sont jolis » conclut-elle finalement, « très jolis même. Mais tu as toujours eu du goût. Enfin, pour un macho » tempéra-t-elle. Elle se rassit sur le canapé pour me faire face.

« Ça ne t'ennuie pas que je te dise que tu es un macho ?

42

— Je ne sais pas, c'est peut-être vrai, je dois être une sorte de macho approximatif ; en réalité je n'ai jamais été persuadé que ce soit une si bonne idée que les femmes puissent voter, suivre les mêmes études que les hommes, accéder aux mêmes professions, etc. Enfin on s'y est habitués, mais est-ce que c'est une bonne idée, au fond ? »

Elle plissa les yeux avec surprise, pendant quelques secondes j'eus l'impression qu'elle se posait véritablement la question, et du coup moi aussi je me la posai, un bref instant, avant de me rendre compte que je n'avais pas de réponse à cette question, pas davantage qu'à aucune autre.

« Tu es pour le retour au patriarcat, c'est ça ?

— Je ne suis *pour* rien du tout, tu le sais bien, mais le patriarcat avait le mérite minimum d'exister, enfin je veux dire en tant que système social il persévérait dans son être, il y avait des familles avec des enfants, qui reproduisaient en gros le même schéma, bref ça tournait ; là il n'y a plus assez d'enfants, donc c'est plié.

— Oui, en théorie tu es un macho, il n'y a aucun doute. Mais tu as des goûts littéraires raffinés : Mallarmé, Huysmans, c'est sûr que ça t'éloigne du macho de base. J'ajoute à ça une sensibilité féminine, anormale, pour les tissus d'ameublement. Par contre, tu t'habilles toujours comme un plouc. Un personnage de macho grunge, ça pourrait avoir une certaine crédibilité ; mais tu n'aimes pas ZZ Top, tu as toujours préféré Nick Drake. Bref, tu es une personnalité paradoxale. »

Je me resservis de bourbon avant de lui répondre. L'agression dissimule souvent un désir de séduction, je l'avais lu chez Boris Cyrulnik, et Boris Cyrulnik c'est du lourd, un type à qui on ne la fait pas, au niveau psycho un mec à la coule, un Konrad Lorenz des humains en quelque sorte. D'ailleurs elle avait légèrement écarté les cuisses en attendant ma réponse, c'était le langage du corps ça, on était dans le réel.

« Il n'y a aucun paradoxe là-dedans, c'est juste que tu emploies la psychologie des magazines féminins, qui n'est qu'une typologie de consommateurs : le bobo éco-responsable, la bourgeoise show-off, la clubbeuse gay-friendly, le satanic geek, le techno-zen, enfin ils en inventent de nouveaux chaque semaine. Je ne corresponds pas immédiatement à un profil de consommateur répertorié, c'est tout.

— On pourrait... pour le soir où on se revoit on pourrait essayer de se dire des choses gentilles, tu ne crois pas ? », il y avait cette fois dans sa voix une brisure qui me gêna. « Tu as faim ? » demandai-je pour dissiper le malaise, non elle n'avait pas faim mais enfin on finit toujours par manger. « Tu veux des sushis ? », évidemment elle accepta, les gens acceptent toujours quand on leur propose des sushis, les gastronomes les plus exigeants comme les femmes les plus soucieuses de leur ligne, il y a une espèce de consensus universel autour de cette juxtaposition amorphe de poisson cru et de riz blanc, j'avais le dépliant d'un livreur de sushis et sa lecture était déjà fastidieuse, entre le wasabi le maki et le salmon roll je n'y comprenais rien et je n'avais pas envie d'y comprendre quoi que ce soit, j'optai pour un menu combiné B3 et je téléphonai pour commander, j'aurais peut-être mieux fait d'aller au restaurant tout compte fait, après avoir raccroché je mis du Nick Drake. Un silence prolongé s'ensuivit, que je rompis, assez stupidement, en lui demandant comment se passaient ses études. Elle me regarda avec reproche avant de répondre que ça allait, qu'elle envisageait de faire un mastère d'édition. Avec soulagement je pus bifurquer vers un sujet d'ordre général, qui d'ailleurs validait son plan de carrière : alors que l'économie française continuait à s'effondrer par pans entiers l'édition se portait bien, dégageait des bénéfices croissants, c'en était étonnant même, à croire que dans leur désespoir tout ce qui restait aux gens c'était la lecture.

« Toi non plus, ça n'a pas l'air d'aller. Mais c'est toujours l'impression que tu m'as donnée, à vrai dire... » dit-elle sans animosité, tristement même. Que pouvais-je répondre à cela, c'était difficilement contestable.

« J'avais l'air si déprimé que ça ? » demandai-je après un nouveau silence.

— Non, déprimé non, mais en un sens c'est pire, il y a toujours eu chez toi une espèce d'honnêteté anormale, une incapacité à ces compromis qui permettent aux gens, au bout du compte, de vivre. Par exemple mettons que tu aies raison sur le patriarcat, que ce soit la seule formule viable. Il n'empêche que j'ai fait des études, que j'ai été habituée à me considérer comme une personne individuelle, dotée d'une capacité de réflexion et de décision égales à celles de l'homme, alors qu'est-ce qu'on fait de moi, maintenant ? Je suis bonne à jeter ? »

La bonne réponse était probablement « Oui », mais je me tus, je n'étais peut-être pas si honnête que ça en fin de compte. Les sushis n'arrivaient toujours pas. Je me resservis un verre de bourbon, ça faisait déjà le troisième. Nick Drake continuait à évoquer de pures jeunes filles, d'antiques princesses. Et je n'avais toujours pas envie de lui faire un enfant, ni de partager les tâches ni d'acheter un porte-bébé kangourou. Je n'avais même pas envie de baiser, enfin j'avais un peu envie de baiser mais un peu envie de mourir en même temps, je ne savais plus très bien en somme, je commençais à sentir monter une légère nausée, qu'est-ce qu'ils foutaient *Rapid'Sushi* merde ? J'aurais dû lui demander de me sucer, à ce moment précis, ça aurait pu donner une deuxième chance à notre couple, mais je laissai le malaise s'installer, augmenter de seconde en seconde.

« Bon, il vaut peut-être mieux que j'y aille... » dit-elle après un silence d'au moins trois minutes. Nick Drake venait de terminer ses lamentations, on allait passer aux éructations de Nirvana, je coupai le son avant de répondre : « Si tu veux... »

« Je suis désolée, vraiment désolée que tu en sois là, François » me dit-elle dans l'entrée, elle avait déjà enfilé son manteau, « j'aimerais faire quelque chose, mais je ne vois pas quoi, tu ne me laisses aucune chance », nous nous fîmes la bise à nouveau, je ne pensais pas qu'on parviendrait à surmonter ça.

Les sushis arrivèrent quelques minutes après son départ. Il y en avait beaucoup.

II

Après le départ de Myriam, je demeurai seul pendant plus d'une semaine ; pour la première fois depuis que j'avais été nommé professeur, je me sentis même incapable d'assurer mes cours du mercredi. Les sommets intellectuels de ma vie avaient été la rédaction de ma thèse, la publication de mon livre ; tout cela remontait déjà à plus de dix ans. Sommets intellectuels ? Sommets tout court ? À l'époque en tout cas je me sentais *justifié*. Je n'avais fait depuis que produire de brefs articles pour le *Journal des dix-neuvièmistes*, et parfois, plus rarement, pour le *Magazine littéraire*, lorsqu'il y avait une actualité correspondant à mon domaine d'expertise. Mes articles étaient nets, incisifs, brillants ; ils étaient généralement appréciés, d'autant que je n'avais jamais de retard sur les dates de remise. Mais cela suffisait-il à justifier une vie ? Et en quoi une vie a-t-elle besoin d'être justifiée ? La totalité des animaux, l'écrasante majorité des hommes vivent sans jamais éprouver le moindre besoin de justification. Ils vivent parce qu'ils vivent et voilà tout, c'est comme ça qu'ils raisonnent ; ensuite je suppose qu'ils meurent parce qu'ils meurent, et que ceci, à leurs yeux, termine l'analyse. Au moins en tant que spécialiste de Huysmans, je me sentais obligé de faire un petit peu mieux.

Lorsque les doctorants me demandent dans quel ordre il convient d'aborder les œuvres d'un auteur auquel ils ont décidé de consacrer leur thèse, je leur réponds à chaque fois de privilégier l'ordre chronologique. Non que la vie de l'auteur ait une réelle importance ; c'est plutôt la succession de ses livres qui trace une sorte de biographie intellectuelle, ayant sa logique propre. Dans le cas de Joris-Karl Huysmans, le problème se posait évidemment avec une acuité particulière en ce qui concerne *À rebours*. Comment, lorsqu'on a écrit un livre d'une originalité aussi puissante, qui demeure inouï dans la littérature universelle, comment peut-on continuer à écrire ?

La première réponse qui vient à l'esprit est bien sûr : avec la plus extrême difficulté. Et c'est en effet ce qu'on observe, dans le cas de Huysmans. *En rade*, qui suit *À rebours*, est un livre décevant, il ne pouvait en être autrement, et si l'impression négative, la sensation de stagnation, de décrue lente ne suppriment pas complètement le plaisir de lecture, c'est que l'auteur a eu cette idée brillante : raconter, dans un livre condamné à être décevant, l'histoire d'une déception. Ainsi, la cohérence entre le sujet et son traitement emporte l'adhésion esthétique, bref on s'ennuie un peu mais on continue à lire, alors qu'on sent bien que ce ne sont pas seulement les personnages qui sont *en rade* lors de leur désolant séjour à la campagne, mais aussi Huysmans lui-même. On aurait presque l'impression qu'il tente un retour au naturalisme (le naturalisme sordide de la campagne, où les paysans se révèlent encore plus abjects et cupides que les Parisiens) s'il n'y avait ces récits oniriques qui, entrecoupant le récit, le rendent définitivement mal fichu et inclassable.

Ce qui permit finalement à Huysmans, dès le roman suivant, de sortir de l'impasse, est une formule simple, éprouvée : adopter un personnage central, porte-parole de l'auteur, dont on suivra l'évolution sur plusieurs livres. Tout cela, je l'avais clairement exposé dans ma thèse ; mes difficultés avaient commencé ensuite, parce que le point central de l'évolution de Durtal (et de celle de Huysmans lui-même), de *Là-bas*, dans les premières pages duquel il prononçait ses adieux au naturalisme, jusqu'à *L'oblat*, en passant par *En route* et *La cathédrale*, c'était la conversion au catholicisme.

Il n'est évidemment pas facile, pour un athée, de parler d'une suite de livres ayant pour sujet principal une conversion ; de même, si l'on suppose quelqu'un qui n'aurait jamais été amoureux, auquel ce sentiment serait tout à fait étranger, il aurait certainement du mal à s'intéresser à un roman consacré à cette passion. En l'absence de véritable adhésion émotionnelle, le sentiment qui s'imposait peu à peu à l'athée confronté aux aventures spirituelles de Durtal, à ces mouvements alternés de retrait et d'irruption de la grâce qui constituaient la trame des trois derniers romans de Huysmans, c'était malheureusement l'ennui.

C'est à ce moment de mes réflexions (je venais de me réveiller et je buvais du café, en attendant que le jour se lève) qu'une idée extrêmement déplaisante me vint : de même qu'*À rebours* était le sommet de la vie littéraire de Huysmans, Myriam était sans doute le sommet de ma vie amoureuse. Comment parviendrais-je à surmonter la perte de mon amante ? La réponse était vraisemblablement que je n'y parviendrais pas.

En attendant la mort il me restait le *Journal des dix-neuvièmistes*, la prochaine réunion avait lieu dans moins d'une semaine. Il y avait la campagne électorale, aussi. Beaucoup d'hommes s'intéressent à la politique et à la guerre, mais j'appréciais peu ces sources de divertissement, je me sentais aussi politisé qu'une serviette de toilette, et c'était sans doute dommage. Il est vrai que, dans ma jeunesse, les élections étaient aussi peu intéressantes que possible ; la médiocrité de l'« offre politique » avait même de quoi surprendre. Un candidat de centre-gauche était élu, pour un ou deux mandats selon son charisme individuel, d'obscures raisons lui interdisant d'en accomplir un troisième ; puis la population se lassait de ce candidat et plus généralement du centre-gauche, on observait un phénomène d'*alternance démocratique*, et les électeurs portaient au pouvoir un candidat de centre-droit, lui aussi pour un ou deux mandats, suivant sa nature propre. Curieusement, les pays occidentaux étaient extrêmement fiers de ce système électif qui n'était pourtant guère plus que le partage du pouvoir entre deux gangs rivaux, ils allaient même parfois jusqu'à déclencher des guerres afin de l'imposer aux pays qui ne partageaient pas leur enthousiasme.

La progression de l'extrême-droite, depuis, avait rendu la chose un peu plus intéressante en faisant glisser sur les débats le frisson oublié du fascisme ; mais ce n'est qu'en 2017 que les choses avaient commencé à bouger vraiment, avec le second tour de la présidentielle. La presse internationale, médusée, avait pu assister à ce spectacle honteux, mais arithmétiquement inéluctable, de la réélection d'un président de gauche dans un pays de plus en plus ouvertement à droite. Pendant les quelques semaines qui avaient suivi le scrutin une ambiance étrange, oppressante, s'était répandue dans le pays. C'était comme un désespoir suffocant, radical, mais traversé çà et là de lueurs insurrectionnelles. Nombreux furent ceux, alors, qui optèrent pour l'exil. Un mois après les résultats du second tour, Mohammed Ben Abbes annonça la création de la Fraternité musulmane. Une première tentative d'islam politique, le Parti des musulmans de France, avait avorté rapidement en raison de l'antisémitisme embarrassant de son leader, qui l'avait même conduit à nouer des liens avec l'extrême-droite. Tirant les leçons de cet échec, la Fraternité musulmane avait veillé à conserver un positionnement modéré, ne soutenait la cause palestinienne qu'avec modération, et maintenait des relations cordiales avec les autorités religieuses juives. Sur le modèle des partis musulmans à l'œuvre dans les pays arabes, modèle d'ailleurs antérieurement utilisé en France par le Parti communiste, l'action politique proprement dite était relayée par un réseau dense de mouvements de jeunesse, d'établissements culturels et d'associations caritatives. Dans un pays où la misère de masse continuait inéluctablement, année après année, à s'étendre, cette politique de maillage avait porté ses fruits, et permis à la Fraternité musulmane d'élargir son audience bien au-delà du cadre strictement confessionnel, le succès avait même été fulgurant : dans les derniers sondages, ce parti qui n'avait que cinq ans d'existence atteignait 21 % des intentions de vote, et talonnait ainsi le Parti socialiste, à 23 %. La droite traditionnelle quant à elle plafonnait à 14 %, et le Front national, avec 32 %, demeurait de loin le premier parti français.

David Pujadas depuis quelques années était devenu une icône, il n'était pas seulement rentré dans le « club très fermé » des journalistes politiques (Cotta, Elkabbach, Duhamel et quelques autres) ayant dans l'histoire des médias été considérés comme d'un niveau suffisant pour arbitrer un débat présidentiel d'entre deux tours, il avait surclassé tous ses prédécesseurs par sa fermeté courtoise, son calme, son aptitude surtout à ignorer les insultes, à recentrer les affrontements qui partaient en vrille, à leur redonner l'apparence d'une confrontation digne et démocratique. La candidate du Front national, comme celui de la Fraternité musulmane, l'agréèrent pour arbitrer leur échange, certainement le plus attendu de tous ceux qui précédaient le premier tour, parce que si le candidat de la Fraternité musulmane, en progression constante dans les sondages depuis son entrée en campagne, parvenait à dépasser celui du Parti socialiste, on aurait affaire à un second tour absolument inédit, et au résultat très incertain. Les sympathisants de gauche, malgré des appels répétés, sur un ton de plus en plus comminatoire, par leurs quotidiens et hebdomadaires de référence, demeuraient réticents à reporter leurs suffrages sur un candidat musulman ; les sympathisants de droite, de plus en plus nombreux, semblaient, malgré les proclamations très fermes de leurs dirigeants, prêts à franchir la barrière, et à voter au second tour pour la candidate « nationale ». Celle-ci, donc, jouait une très grosse partie – la plus grosse partie de sa vie, sans aucun doute.

Le débat avait lieu un mercredi, ce qui ne me facilitait pas les choses ; la veille, j'avais acheté un assortiment de plats indiens micro-ondables et trois bouteilles de vin rouge ordinaire. Des masses d'air anticyclonique s'étaient durablement installées de la Hongrie à la Pologne, empêchant la dépression centrée sur les Îles britanniques de progresser vers le Sud ; sur l'ensemble de l'Europe continentale se maintenait un temps inhabituellement froid et sec. Mes doctorants m'avaient pas mal fait chier dans la journée avec des questions oiseuses, du genre pourquoi les poètes mineurs (Moréas Corbière etc.) étaient considérés comme mineurs, qu'est-ce qui les empêchait d'être considérés comme majeurs (Baudelaire Rimbaud Mallarmé pour aller vite ; après on saute à Breton). Leurs questions n'étaient pas désintéressées tant s'en faut, c'étaient deux doctorants maigres et méchants dont l'un avait envie de faire une thèse sur Cros, l'autre sur Corbière, mais en même temps ils ne voulaient pas se griller, je le voyais bien, ils guettaient ma réponse en tant que représentant de l'institution. Bottant en touche je leur recommandai Laforgue, au statut intermédiaire.

Pendant le débat en lui-même j'ai pas mal merdé, enfin c'est surtout mon micro-ondes qui a merdé, il a inauguré un fonctionnement nouveau (tourner à toute vitesse, en émettant un son quasi subsonique, sans pour autant chauffer les aliments), ce qui fait que j'ai dû terminer mes packages indiens à la poêle, et que j'ai raté une grande partie des arguments échangés. Mais, pour ce que j'ai pu en suivre, les choses se déroulèrent avec une correction presque excessive, les deux candidats à la magistrature suprême multipliaient les marques de déférence mutuelles, ils exprimèrent à tour de rôle un immense amour pour la France, et donnaient l'impression d'être à peu près d'accord sur tout. Pourtant, dans le même temps, des affrontements éclataient à Montfermeil entre des militants d'extrême-droite et un groupe de jeunes Africains, qui ne se réclamaient d'aucune appartenance politique – des incidents plus sporadiques avaient eu lieu depuis une semaine sur le territoire de la commune, à la suite d'une profanation de la mosquée. Un site Internet identitaire devait affirmer le lendemain que les affrontements avaient été très violents, et qu'on dénombrait plusieurs morts – mais le ministère de l'Intérieur démentit aussitôt l'information. Comme à chaque fois, la présidente du Front national et celui de la Fraternité musulmane publièrent, chacun de son côté, un communiqué où ils se désolidarisaient avec vigueur de ces agissements criminels. Les médias avaient réalisé quelques reportages choc deux ans auparavant, quand s'étaient produits les premiers affrontements armés, mais on en parlait de moins en moins maintenant, tout ça semblait s'être banalisé. Pendant plusieurs années, et sans doute même plusieurs dizaines d'années, *Le Monde*, ainsi plus généralement que tous les journaux de centre-gauche, c'est-à-dire en réalité tous les journaux, avaient régulièrement dénoncé les « Cassandres » qui prévoyaient une guerre civile entre les immigrés musulmans et les populations autochtones d'Europe occidentale. Comme me l'avait expliqué un de mes collègues qui enseignait la littérature grecque, cette utilisation du mythe de Cassandre était au fond curieuse. Dans la mythologie grecque, Cassandre se présente d'abord comme une très belle fille, « semblable à l'Aphrodite d'or », écrit Homère. Tombé amoureux d'elle, Apollon lui accorde le don de prophétie en échange de leurs futurs ébats. Cassandre accepte le don, mais se refuse au dieu, qui, furieux, lui crache à la bouche, ce qui l'empêchera à jamais de se faire comprendre ni d'être crue par qui que ce soit. Elle prédit ainsi successivement l'enlèvement d'Hélène par Pâris, puis le déclenchement de la guerre de Troie, et avertit ses compatriotes troyens du subterfuge grec (le fameux « cheval de Troie ») qui leur permit d'emporter la ville. Elle finira assassinée par Clytemnestre, non sans avoir prévu son meurtre, ainsi que celui d'Agamemnon, qui avait refusé de la croire. En somme, Cassandre offrait l'exemple de prédictions pessimistes constamment réalisées, et il semblait bien, à voir les faits, que les journalistes de centre-gauche ne fassent que répéter l'aveuglement des Troyens. Un tel aveuglement n'avait rien d'historiquement inédit : on aurait pu retrouver le même chez les intellectuels, politiciens et journalistes des années 1930, unanimement persuadés qu'Hitler « finirait par revenir à la raison ». Il est probablement impossible, pour des gens ayant vécu et prospéré dans un système social donné, d'imaginer le point de vue de ceux qui, n'ayant jamais rien eu à attendre de ce système, envisagent sa destruction sans frayeur particulière.

Mais à vrai dire, depuis quelques mois, l'attitude des médias de centre-gauche avait changé : les violences dans les banlieues, les affrontements inter-ethniques, on n'en parlait plus du tout, le problème était simplement passé sous silence, et on avait même cessé de dénoncer les « Cassandres », qui de leur côté avaient fini par se taire. Les gens en général semblaient s'être lassés d'entendre aborder ce sujet ; et, dans le milieu que je fréquentais, la lassitude était intervenue plus tôt que partout ailleurs ; il arriverait « ce qui doit arriver », voilà ce qui pouvait résumer le sentiment général. Et, en me rendant le lendemain soir au cocktail trimestriel du *Journal des dix-neuvièmistes*, je savais déjà que les affrontements de Montfermeil susciteraient peu de commentaires, pas davantage que les derniers débats précédant le premier tour de la présidentielle, et beaucoup moins que les récentes nominations universitaires. La soirée avait lieu rue Chaptal, au Musée de la vie romantique, loué pour l'occasion.

J'aimais depuis toujours la place Saint-Georges, ses façades délicieusement Belle Époque, et je m'arrêtai quelques instants devant le buste de Gavarni avant de remonter la rue Notre-Dame-de-Lorette, puis la rue Chaptal. Au numéro 16 s'ouvrait une courte allée pavée, bordée d'arbres, conduisant au musée.

La température était douce et les doubles portes avaient été largement ouvertes sur le jardin, je pris une coupe de champagne avant de déambuler entre les tilleuls et très vite j'aperçus Alice, elle était maître de conférences à l'université de Lyon III, spécialiste de Nerval, sa robe de tissu léger imprimée de fleurs vives était sans doute ce qu'on appelle une robe de cocktail, les différences entre la robe de cocktail et la robe de soirée m'échappaient un peu à vrai dire mais j'étais certain qu'en toutes circonstances Alice aurait la robe appropriée, et plus généralement le comportement approprié, sa compagnie était très reposante, aussi n'hésitai-je pas à la saluer bien qu'elle fût en conversation avec un jeune type au visage anguleux, à la peau très blanche, vêtu d'un blazer bleu porté sur un tee-shirt du PSG, chaussé de baskets d'un rouge vif, l'ensemble était bizarrement assez élégant ; il se présenta à moi sous le nom de Godefroy Lempereur.

« Je suis un de vos nouveaux collègues... » dit-il en se tournant vers moi, j'observai qu'il avait pris un whisky sec, « je viens d'être nommé à Paris III.

— Oui, j'ai appris votre nomination, vous êtes spécialiste de Bloy, n'est-ce pas ?

— François a toujours détesté Bloy » intervint Alice avec légèrcté, « enfin comme spécialiste de Huysmans il est d'un autre bord, évidemment. »

Lempereur se tourna vers moi en me souriant avec une chaleur surprenante, dit rapidement : « Je vous connais, évidemment... J'admire énormément votre travail sur Huysmans », puis il eut un instant de silence, cherchant ses mots, sans cesser de me regarder avec intensité, son regard était tellement intense que je me dis qu'il devait être maquillé, il avait au moins accentué ses cils d'un trait de mascara et j'eus l'impression à ce moment qu'il allait me dire des choses importantes. Alice posait sur nous ce regard à la fois affectueux et légèrement moqueur des femmes qui suivent une conversation entre hommes, cette chose curieuse qui semble toujours hésiter entre la pédérastie et le duel. Un coup de brise assez fort agita, au-dessus de nous, le feuillage des tilleuls. À ce moment j'entendis très lointain, très vague, un bruit sourd qui ressemblait à une explosion.

« C'est curieux », dit finalement Lempereur, « comme on reste proches des auteurs auxquels on s'est consacrés au début de sa vie. On pourrait croire, après un siècle ou deux, que les passions s'éteignent, qu'on accède en tant qu'universitaires à une sorte d'objectivité littéraire, etc. Eh bien pas du tout. Huysmans, Zola, Barbey, Bloy, tous ces gens se sont connus, ont eu des relations d'amitié ou de haine, se sont alliés, fâchés, l'histoire de leurs relations est celle de la littérature française ; et nous, à plus d'un siècle de distance, nous reproduisons ces mêmes relations, nous restons toujours fidèles au champion qui a été le nôtre, nous demeurons prêts pour lui à nous aimer, nous fâcher, nous battre par articles interposés.

— Vous avez raison, mais c'est bien. Ça prouve au moins que la littérature est une affaire sérieuse.

— Personne ne s'est jamais fâché avec le pauvre Nerval… » intervint Alice, mais Lempereur ne l'entendit même pas, je crois, il continuait à me fixer avec intensité, comme englouti dans son propre discours.

« Vous avez toujours été quelqu'un de sérieux », reprit-il, « j'ai lu tous vos articles dans le *Journal*. Ce n'est pas vraiment mon cas. J'étais fasciné par Bloy quand j'avais vingt ans, fasciné par son intransigeance, sa violence, sa virtuosité dans le mépris et dans l'insulte ; mais c'était aussi, beaucoup, un phénomène de mode. Bloy, c'était l'arme absolue contre le XXᵉ siècle avec sa médiocrité, sa bêtise engagée, son humanitarisme poisseux ; contre Sartre, contre Camus,

64

contre tous les guignols de l'engagement ; contre tous ces formalistes nauséeux aussi, le nouveau roman, toutes ces absurdités sans conséquence. Bon, j'ai vingt-cinq ans maintenant : je n'aime toujours pas Sartre, ni Camus, ni quoi que ce soit qui s'apparente au nouveau roman ; mais la virtuosité de Bloy m'est devenue pénible, et je dois reconnaître que la dimension spirituelle et sacrée dont il se gargarise ne m'évoque à peu près plus rien. J'ai davantage de plaisir, maintenant, à relire Maupassant ou Flaubert – et même Zola, enfin certaines pages. Et aussi, bien sûr, le très curieux Huysmans… »

Il avait un cachet *intellectuel de droite* assez séduisant, me dis-je, ça lui assurerait une petite singularité à la fac. On peut laisser parler les gens assez longtemps, ils sont toujours intéressés par leur propre discours, mais il faut quand même relancer de temps en temps, un minimum. Je jetai un coup d'œil sans illusions à Alice, je savais que ça ne l'intéressait pas du tout, cette période, elle était *Frühromantik* à l'extrême. Je faillis demander à Lempereur : « Vous êtes plutôt catho, plutôt facho, ou un mélange des deux ? » avant de me ressaisir, j'avais décidément perdu le contact avec les intellectuels de droite, je ne savais plus du tout comment m'y prendre. Dans le lointain, on entendit soudain une sorte de pétarade prolongée. « Qu'est-ce que c'est, vous croyez ? » demanda Alice. « On dirait des coups de feu… » ajouta-t-elle d'un ton hésitant. Nous nous tûmes aussitôt, et je pris conscience que toutes les conversations s'étaient tues dans le jardin, on percevait à nouveau le bruissement du vent dans les feuilles, et des pas discrets sur le gravier, plusieurs des convives quittaient la salle où avait lieu le cocktail et avançaient doucement entre les arbres, dans l'attente. Deux enseignants de l'université de Montpellier passèrent près de moi, ils avaient allumé leurs smartphones et les tenaient bizarrement, l'écran orienté à l'horizontale, comme une baguette de sourcier. « Il n'y a rien... » souffla l'un des deux avec angoisse, « ils sont toujours sur le G20 ». S'ils s'imaginaient que les chaînes info allaient couvrir l'événement ils se faisaient des illusions, me dis-je, pas plus aujourd'hui qu'hier à Montfermeil, le black-out était total.

« C'est la première fois que ça pète à Paris » remarqua Lempereur d'un ton neutre. Au même instant il y eut à nouveau des bruits de fusillade, cette fois très nets, et qui paraissaient proches, puis une explosion beaucoup plus forte. Tous les invités se tournèrent aussitôt dans cette direction. Une colonne de fumée s'élevait dans le ciel au-dessus des immeubles ; cela devait venir à peu près de la place de Clichy.

« Bon, je crois que notre petite *sauterie* va avoir une fin prématurée... » dit Alice avec légèreté. En effet, beaucoup d'invités essayaient de téléphoner ; et quelques-uns commençaient à se déplacer vers la sortie, mais lentement, par à-coups, comme pour montrer qu'ils restaient maîtres d'eux-mêmes, qu'ils ne cédaient nullement à un mouvement de panique.

« On peut poursuivre la conversation chez moi, si vous voulez » proposa Lempereur.

« J'habite rue du Cardinal Mercier, c'est à deux pas d'ici.

— J'ai mon cours demain à Lyon, je prends le TGV à six heures » dit Alice, « je crois que je vais rentrer.

— Tu es sûre ?

— Oui, c'est curieux, je n'ai pas peur du tout. »

Je la regardai, me demandant s'il fallait insister, mais curieusement je n'avais pas peur non plus, j'étais sans grande raison persuadé que les affrontements s'arrêteraient au boulevard de Clichy.

La Twingo d'Alice était garée au coin de la rue Blanche. « Je ne suis pas sûr que ça soit très prudent, ce que tu fais » dis-je après lui avoir fait la bise, « appelle-moi quand même, une fois que tu es arrivée. » Elle acquiesça avant de démarrer. « C'est une femme remarquable... » dit Lempereur. J'acquiesçai, tout en me disant que je ne savais au fond pas grand-chose d'Alice. Avec les distinctions honorifiques et les évolutions de carrière, les indiscrétions sexuelles étaient à peu près notre seul sujet de conversation entre collègues ; et, sur son compte, je n'avais jamais entendu le moindre bruit. Elle était intelligente, élégante, jolie – quel âge pouvait-elle avoir ? à peu près le même que le mien, entre quarante et quarante-cinq ans – et selon toute apparence elle était seule. C'était quand même un peu tôt pour raccrocher, me dis-je avant de me souvenir que j'envisageais la veille encore la même perspective. « Remarquable ! » appuyai-je en essayant de chasser l'idée de mon esprit.

Les fusillades avaient cessé. En nous engageant dans la rue Ballu, déserte à cette heure, nous nous retrouvions exactement à l'époque de nos écrivains préférés, fis-je observer à Lempereur ; presque tous les immeubles, remarquablement conservés, dataient du Second empire ou du début de la Troisième république. « C'est vrai, même les mardis de Mallarmé avaient lieu tout près d'ici, rue de Rome... » répondit-il. « Et vous, vous êtes où ?

— Avenue de Choisy. Les années 1970, plutôt. Une époque moins remarquable sur le plan littéraire, évidemment.

— Ce qu'on appelle le *Chinatown* ?

— Exactement. Je suis en plein Chinatown.

— Ça pourrait s'avérer un choix intelligent » dit-il pensivement, après un long temps de réflexion. Au même instant, nous arrivâmes au coin de la rue de Clichy. Je m'arrêtai, saisi. Une centaine de mètres vers le Nord, la place de Clichy était complètement envahie par les flammes ; on distinguait des carcasses de voitures et celle d'un bus, carbonisées ; la statue du maréchal Moncey, imposante et noire, se détachait au milieu de l'incendie. Il n'y avait personne en vue. Le silence avait envahi la scène, uniquement troublé par le hurlement répétitif d'une sirène.

« Vous connaissez la carrière du maréchal Moncey ?

— Pas du tout.

— C'était un soldat de Napoléon. Il s'est illustré en défendant la barrière de Clichy contre les envahisseurs russes en 1814. Si les affrontements ethniques devaient s'étendre à Paris intra-muros », poursuivit Lempereur sur le même ton, « la communauté chinoise resterait en dehors. Le Chinatown pourrait devenir un des seuls quartiers de Paris parfaitement sûrs.

— Vous croyez que c'est possible ? »

Il haussa les épaules sans répondre. À ce moment j'aperçus avec stupéfaction deux CRS, mitraillette en bandoulière, vêtus de combinaisons de kevlar, qui descendaient tranquillement la rue de Clichy en direction de la gare Saint-Lazare. Ils bavardaient avec animation, et ne nous accordèrent même pas un regard.

« Ils sont... », j'étais tellement ahuri que j'avais du mal à parler, « ils font absolument comme si de rien n'était.

— Oui... » Lempereur s'était arrêté, se frottait pensivement le menton. « Vous voyez, il est bien difficile de dire en ce moment ce qui est, ou non, possible. Si quelqu'un vient vous prétendre le contraire, ce sera un imbécile ou un menteur ; personne à mon avis ne peut prétendre savoir ce qui va se passer dans les prochaines semaines. Bon... » reprit-il après une nouvelle réflexion, « on est tout près de chez moi, maintenant. J'espère que ça se passera bien pour votre amie... »

La rue du Cardinal Mercier, silencieuse et déserte, se terminait en impasse sur une fontaine entourée de colonnades. De chaque côté, des porches massifs surmontés de caméras de surveillance donnaient sur des cours plantées d'arbres. Lempereur pressa son index contre une petite plaque d'aluminium, qui devait être un dispositif d'identification biométrique ; un rideau métallique se leva aussitôt devant nous. Au fond de la cour, à demi caché par les platanes, je distinguai un petit hôtel particulier, cossu et élégant, typiquement Second empire. Je m'interrogeais : ce n'était certainement pas son traitement de maître de conférences au premier échelon qui lui permettait d'habiter un endroit pareil ; alors, quoi ?

Je ne sais pas pourquoi je m'imaginais mon jeune collègue vivant dans un décor minimaliste, épuré, avec beaucoup de blanc. L'ameublement au contraire était parfaitement conforme au style de l'immeuble : tapissé de soie et de velours, le salon était rempli de sièges confortables, de guéridons ornés de marqueterie et de nacre ; un très grand tableau de style pompier, qui était probablement un Bouguereau authentique, trônait au-dessus d'une cheminée très ouvragée. Je pris place sur une ottomane tendue d'un reps vert bouteille avant d'accepter un alcool de poire.

« On peut essayer de savoir ce qui se passe, si vous voulez… » me proposa-t-il en me servant.

— Non, je sais bien qu'il n'y aura rien sur les chaînes info. Sur CNN peut-être, si vous avez une parabole.

— J'ai essayé ces derniers jours ; rien sur CNN, rien sur Youtube non plus, mais ça je m'y attendais. Sur Rutube des fois ils passent quelques images, des gens qui filment avec leur portable ; mais c'est très aléatoire, et là je n'ai rien trouvé.

— Je ne comprends pas pourquoi ils ont décidé le black-out total ; je ne comprends pas ce que recherche le gouvernement.

— Là, à mon avis, c'est clair : ils ont vraiment peur que le Front national ne gagne les élections. Et toute image de violences urbaines, c'est des voix en plus pour le Front national. C'est l'extrême-droite, maintenant, qui essaie de faire monter la pression. Évidemment, les mecs réagissent au quart de tour dans les banlieues ; mais si vous regardez, chaque fois que c'est parti en vrille ces derniers mois, il y avait au départ une provocation anti-islam : une mosquée profanée, une femme obligée d'enlever son niqab sous la menace, enfin un truc de ce genre.

— Et vous pensez que c'est le Front national qui est derrière ?

— Non. Non, ils ne peuvent pas se le permettre. Ce n'est pas comme ça que ça se passe. Disons... disons qu'il y a des passerelles. »

Il termina son verre, nous resservit et se tut. Le Bouguereau au-dessus de la cheminée représentait cinq femmes dans un jardin – les unes vêtues de tuniques blanches, les autres à peu près nues – entourant un enfant nu, aux cheveux bouclés. L'une des femmes nues cachait ses seins de ses mains ; l'autre ne pouvait pas, elle tenait un bouquet de fleurs des champs. Elle avait de jolis seins, et l'artiste réussissait parfaitement ses drapés. Ça datait d'un peu plus d'un siècle et ça me paraissait si loin, la première réaction était de rester interdit devant cet objet incompréhensible. Lentement, progressivement, on pouvait essayer de se mettre dans la peau d'un de ces bourgeois du XIXe siècle, d'un de ces notables en redingote pour lesquels avait été peint ce tableau ; on pouvait, comme eux, éprouver les prémices d'un émoi érotique devant ces nudités grecques ; mais c'était une remontée dans le temps laborieuse, difficile. Maupassant, Zola, même Huysmans étaient d'un accès beaucoup plus immédiat. J'aurais probablement dû parler de cela, de cet étrange pouvoir de la littérature, je décidai pourtant de continuer à parler politique, j'avais envie d'en savoir plus et il paraissait en savoir plus, enfin c'est l'impression qu'il donnait.

« Vous avez été proche des mouvements identitaires, je crois ? », mon ton avait été parfait, homme du monde intéressé, curieux sans plus, neutralité bienveillante avec un soupçon d'élégance. Il sourit franchement, sans réserves.

« Oui, je sais que le bruit s'est répandu à la fac… J'ai appartenu en effet à un mouvement identitaire, il y a quelques années, au moment où je préparais ma thèse. C'étaient des identitaires catholiques, souvent royalistes, des nostalgiques, des romantiques au fond – des alcooliques, aussi, dans la plupart des cas. Mais tout ça a complètement changé, j'ai perdu le contact, et je crois que si j'allais à une réunion je ne reconnaîtrais plus rien. »

Je me tus méthodiquement : quand on se tait méthodiquement en les regardant droit dans les yeux, en leur donnant l'impression de boire leurs paroles, les gens parlent. Ils aiment qu'on les écoute, tous les enquêteurs le savent ; tous les enquêteurs, tous les écrivains, tous les espions.

« Voyez-vous… » reprit-il, « le Bloc identitaire était en réalité tout sauf un bloc, il était divisé en multiples fractions qui se comprenaient et s'entendaient mal : des catholiques, des solidaristes apparentés à "Troisième voie", des royalistes, des néo-païens, des laïques purs et durs venus de l'extrême-gauche… Mais tout a changé au moment de la création des "Indigènes européens". Ils s'étaient inspirés au départ des "Indigènes de la République", en en prenant l'exact contre-pied, et ils ont réussi à délivrer un message clair et fédérateur : nous sommes les indigènes de l'Europe, les premiers occupants de cette terre, et nous refusons la colonisation musulmane ; nous refusons également les firmes américaines et le rachat de notre patrimoine par les nouveaux capitalistes venus d'Inde, de Chine, etc. Ils citaient Geronimo, Cochise, Sitting Bull, ce qui était plutôt adroit ; et surtout leur site Internet était graphiquement très innovant, avec des animations saisissantes, une musique qui bougeait bien, ça leur a attiré un public nouveau, un public de jeunes.

— Vous pensez vraiment qu'ils veulent déclencher une guerre civile ?

— Il n'y a aucun doute là-dessus. Je vais vous montrer un texte paru sur le Net... »

Il se leva, passa dans la pièce à côté. Depuis que nous avions pénétré dans son salon, les bruits de fusillade semblaient avoir cessé – mais je n'étais pas sûr qu'on puisse les entendre de chez lui, l'impasse était extrêmement calme.

Il revint et me tendit une dizaine de feuilles agrafées, imprimées en petits caractères ; le document était, en effet, très clairement intitulé : « PRÉPARER LA GUERRE CIVILE ».

« Bon, il y en a beaucoup du même genre, mais c'est un des plus synthétiques, avec les statistiques les plus fiables. Il y a pas mal de chiffres, parce qu'ils examinent le cas de vingt-deux pays de l'Union européenne, mais leurs conclusions sont partout les mêmes. Pour résumer leur thèse, la transcendance est un avantage sélectif : les couples qui se reconnaissent dans l'une des trois religions du Livre, chez lesquels les valeurs patriarcales se sont maintenues, ont davantage d'enfants que les couples athées ou agnostiques ; les femmes y sont moins éduquées, l'hédonisme et l'individualisme moins prégnants. La transcendance est par ailleurs, dans une large mesure, un caractère génétiquement transmissible : les conversions, ou le rejet des valeurs familiales, n'ont qu'une importance marginale ; les gens restent fidèles, dans l'immense majorité des cas, au système métaphysique dans lequel ils ont été élevés. L'humanisme athée, sur lequel repose le "vivre ensemble" laïc, est donc condamné à brève échéance, le pourcentage de la population monothéiste est appelé à augmenter rapidement, et c'est en particulier le cas de la population musulmane – sans même tenir compte de l'immigration, qui accentuera encore le phénomène. Pour les identitaires européens, il est admis d'emblée qu'entre les musulmans et le reste de la population doit nécessairement, tôt ou tard, éclater une guerre civile. Ils en concluent que s'ils veulent avoir une chance de gagner cette guerre il vaut mieux qu'elle éclate le plus tôt possible – en toute hypothèse avant 2050, et de préférence bien avant.

— Ça me paraît logique...

— Oui, sur le plan politique et militaire, ils ont de toute évidence raison. Reste à savoir s'ils ont décidé de passer à l'action maintenant – et dans quels pays. Le rejet des musulmans est à peu près aussi fort dans tous les pays européens ; mais la France est un cas tout à fait particulier, en raison de son armée. L'armée française reste l'une des premières armées mondiales, cette ligne a été maintenue, malgré les restrictions budgétaires, par tous les gouvernements successifs ; ce qui fait qu'aucun mouvement insurrectionnel ne peut espérer faire le poids si le gouvernement se décide vraiment à faire intervenir l'armée. La stratégie est donc, forcément, différente.

— C'est-à-dire ?

— Les carrières militaires sont des carrières courtes. À l'heure actuelle, l'armée française – armées de terre, de mer et de l'air confondues – comporte un effectif de 330 000 hommes, si l'on y inclut la gendarmerie. Le recrutement annuel est d'à peu près 20 000 personnes ; ça veut dire qu'en un peu plus de quinze ans l'ensemble des effectifs de l'armée française sera complètement renouvelé. Si les jeunes militants identitaires – et ce sont, presque tous, des jeunes – s'inscrivaient massivement aux concours de recrutement des forces armées, ils pourraient en prendre le contrôle idéologique en un temps relativement bref. C'est la ligne qui est soutenue, depuis le début, par la branche politique du mouvement ; et c'est cela qui a provoqué il y a deux ans la rupture avec la branche militaire, partisane du passage immédiat à la lutte armée. Je pense que la branche politique va garder le contrôle, et que la branche militaire n'attirera que quelques marginaux issus de la délinquance, et fascinés par les armes ; mais la situation pourrait être différente dans d'autres pays, en particulier en Scandinavie. L'idéologie multiculturaliste est encore bien plus oppressante en Scandinavie qu'en France, les militants identitaires sont nombreux et aguerris ; et de l'autre côté l'armée n'a que des effectifs insignifiants, ils seraient peut-être incapables de faire face à des émeutes sérieuses. Oui, si une insurrection générale doit se déclencher prochainement en Europe, elle viendra peut-être de la Norvège ou du Danemark ; la Belgique et la Hollande, aussi, sont des zones potentiellement très instables.

Vers deux heures du matin tout semblait s'être calmé, et je trouvai facilement un taxi. Je félicitai Lempereur sur la qualité de son alcool de poire – nous avions pratiquement terminé la bouteille. Bien entendu cela faisait comme tout le monde des années, voire des dizaines d'années, que j'entendais parler de ces thèmes. L'expression « Après moi le déluge » est tantôt attribuée à Louis XV, tantôt à sa maîtresse madame de Pompadour. Elle résumait assez bien mon état d'esprit, mais c'était la première fois qu'une idée inquiétante me traversait : le déluge, en fin de compte, pourrait bien se produire avant mon propre trépas. Je ne m'attendais évidemment pas à avoir une fin de vie heureuse, il n'y avait aucune raison que je sois épargné par le deuil, l'infirmité et la souffrance ; mais je pouvais jusqu'alors espérer quitter ce monde sans violence exagérée.

Était-il trop alarmiste ? Je ne le croyais malheureusement pas ; ce garçon m'avait laissé une grande impression de sérieux. Le lendemain matin je fis une recherche sur Rutube, mais il n'y avait rien concernant la place de Clichy. Je tombai juste sur une vidéo assez effrayante, bien qu'elle ne comporte aucun élément violent : une quinzaine de types entièrement vêtus de noir, masqués, cagoulés, armés de mitraillettes, s'étaient déployés suivant une formation en V et avançaient lentement au milieu d'un décor urbain qui évoquait la dalle d'Argenteuil. Ce n'était certainement pas une vidéo prise avec un téléphone portable : le piqué était excellent, et on avait rajouté un effet de ralenti. Cette vidéo statique, imposante, prise en légère contre-plongée, n'avait d'autre but que d'affirmer une présence, une prise de contrôle sur un territoire. En cas de conflit ethnique je serais, mécaniquement, rangé dans le camp des Blancs, et pour la première fois, en sortant faire mes courses, je rendis grâce aux Chinois d'avoir su depuis les origines du quartier éviter toute installation de Noirs ou d'Arabes – et d'ailleurs plus généralement toute installation de non-Chinois, à l'exception de quelques Vietnamiens.

Il était quand même plus prudent d'envisager une position de repli, au cas où les choses viendraient à dégénérer rapidement. Mon père habitait un chalet dans le massif des Écrins, il avait depuis peu (enfin, tout du moins, je ne l'avais appris que depuis peu) trouvé une nouvelle compagne. Ma mère déprimait à Nevers, et n'avait d'autre société que son bouledogue français. Cela faisait une dizaine d'années que je n'avais plus guère de leurs nouvelles. Les deux baby-boomers avaient toujours fait preuve d'un égoïsme implacable, et rien ne me portait à croire qu'ils m'accueilleraient avec bienveillance. La question de savoir si je reverrais mes parents avant leur mort me traversait parfois l'esprit, mais la réponse était à chaque fois négative, et je ne croyais même pas qu'une guerre civile puisse arranger l'affaire, ils trouveraient un prétexte pour refuser de m'héberger ; ils n'avaient jamais été, sur cette question, à court de prétextes. J'avais eu des amis ensuite, plusieurs personnes, enfin à vrai dire pas tellement, j'avais un peu perdu le contact ; il y avait Alice, je pouvais sans doute considérer Alice comme une amie. Dans l'ensemble, depuis ma séparation d'avec Myriam, j'étais extrêmement seul.

Dimanche 15 mai.

J'aimais depuis toujours les soirées d'élection présidentielle ; je crois même qu'à l'exception des finales de coupe du monde de football, c'était mon programme télévisé favori. Le suspense était évidemment moins fort, les élections obéissant à ce dispositif narratif singulier d'une histoire dont le dénouement est connu dès la première minute ; mais l'extrême diversité des intervenants (les politologues, les éditorialistes politiques « de premier plan », les foules de militants en liesse ou en pleurs au siège de leurs partis... les hommes politiques enfin, leurs déclarations à chaud, réfléchies ou émues), l'excitation générale des participants donnaient vraiment cette impression si rare, si précieuse, si télégénique, de vivre un moment historique en direct.

Échaudé par le débat précédent, que mon micro-ondes m'avait pratiquement empêché de suivre, j'avais cette fois acheté du tarama, du houmous, des blinis et des œufs de poisson ; j'avais mis la veille deux bouteilles de Rully au frais. Dès que David Pujadas prit l'antenne à 19 heures 50, je compris que la soirée électorale s'annonçait comme un très grand cru, et que j'allais vivre un moment de télévision exceptionnel. Pujadas restait bien entendu très professionnel, mais à l'éclat de son regard on ne pouvait s'y méprendre : les résultats qu'il connaissait déjà, qu'il aurait le droit de divulguer dans dix minutes, étaient une énorme surprise ; le paysage politique français allait être bouleversé.

« C'est un séisme », annonça-t-il d'emblée au moment où s'affichaient les premiers chiffres. Le Front national arrivait largement en tête, avec 34,1 % des suffrages ; ça c'était presque normal, c'est ce que tous les sondages annonçaient depuis des mois, la candidate d'extrême-droite avait juste légèrement progressé pendant les dernières semaines de campagne. Mais derrière elle le candidat du Parti socialiste, avec 21,8 %, et celui de la Fraternité musulmane, avec 21,7 %, étaient au coude à coude, ils étaient séparés par si peu de voix que la situation pouvait basculer, allait même probablement basculer à plusieurs reprises au cours de la soirée, à mesure que seraient connus les résultats des bureaux de vote des grandes villes et de Paris. Avec 12,1 % des voix, le candidat de droite était définitivement hors course.

Jean-François Copé ne fit son apparition sur les écrans qu'à 21 heures 50. Hâve, mal rasé, la cravate de travers, il donnait plus que jamais l'impression d'avoir été mis en examen au cours des dernières heures. Avec une douloureuse humilité il convint qu'il s'agissait d'un revers, d'un grave revers, dont il assumait l'entière responsabilité ; il n'alla cependant pas, comme Lionel Jospin en 2002, jusqu'à envisager de se retirer de la vie politique. Quant aux consignes de vote pour le second tour, il n'en donna aucune ; le bureau politique de l'UMP se réunirait dans la semaine pour prendre une décision.

À 22 heures les deux candidats n'étaient toujours pas départagés, les derniers chiffres donnaient des estimations absolument identiques – cette incertitude évitant au candidat socialiste de faire une déclaration qu'on devinait difficile. Les deux partis qui structuraient la vie politique française depuis les débuts de la Ve République allaient-ils être balayés ? L'hypothèse était tellement renversante qu'on sentait que les commentateurs qui se succédaient à toute allure sur le plateau – et jusqu'à David Pujadas, pourtant peu suspect de complaisance envers l'islam, et réputé proche de Manuel Valls – en avaient secrètement envie. Passant d'une chaîne à l'autre avec une telle célérité qu'il paraissait jouir du don d'ubiquité, réussissant jusqu'à une heure avancée de la nuit d'éblouissants mouvements d'écharpe, Christophe Barbier fut sans conteste un des rois de cette soirée électorale, éclipsant aisément Renaud Dély, terne et morose devant un résultat que son journal n'avait pas prévu, et même Yves Thréard, d'ordinaire plus pugnace.

Ce n'est qu'un peu après minuit, à l'heure où je terminais ma seconde bouteille de Rully, que tombèrent les résultats définitifs : Mohammed Ben Abbes, le candidat de la Fédération musulmane, arrivait en deuxième position avec 22,3 % des suffrages. Avec 21,9 %, le candidat socialiste était éliminé. Manuel Valls prononça une brève allocution, très sobre, où il saluait les deux candidats arrivés en tête, et ajournait toute décision jusqu'à la réunion du comité directeur du Parti socialiste.

Mercredi 18 mai.

Lorsque je retournai à la fac pour assurer mes cours, j'eus, pour la première fois, la sensation qu'il pouvait se passer quelque chose ; que le système politique dans lequel je m'étais, depuis mon enfance, habitué à vivre, et qui depuis pas mal de temps se fissurait visiblement, pouvait éclater d'un seul coup. Je ne sais pas exactement ce qui me donna cette impression. Peut-être l'attitude de mes étudiants de mastère : aussi amorphes et dépolitisés soient-ils, ils semblaient ce jour-là tendus, anxieux, tentaient visiblement de capter des bribes d'information sur leurs smartphones et leurs tablettes tactiles ; ils étaient en tout cas plus que jamais inattentifs à mon cours. Peut-être aussi la démarche des filles en burqa, plus assurée et plus lente que d'ordinaire, elles avançaient de front par trois dans les couloirs, sans raser les murs, comme si elles étaient déjà maîtresses du terrain.

J'étais par contre frappé par l'atonie de mes collègues. Pour eux il ne semblait y avoir aucun problème, ils ne se sentaient nullement concernés, ce qui ne faisait que confirmer ce que je pensais depuis des années : ceux qui parviennent à un statut d'enseignant universitaire n'imaginent même pas qu'une évolution politique puisse avoir le moindre effet sur leur carrière ; ils se sentent absolument intouchables.

En fin de journée j'aperçus Marie-Françoise, alors que je tournais le coin de la rue de Santeuil pour me diriger vers le métro. Je marchai rapidement, je courus presque pour la rejoindre, et arrivé à sa hauteur, après un bonjour rapide, je lui demandai directement : « Est-ce que tu crois que nos collègues ont raison d'être aussi calmes ? Est-ce que tu crois qu'on est réellement à l'abri ?

— Ah !... » s'exclama-t-elle avec un rictus de gnome, qui l'enlaidissait encore, avant d'allumer une Gitane, « je me demandais si quelqu'un allait se réveiller, dans cette putain de fac. Non, on n'est pas du tout à l'abri, je te prie de le croire, et je suis bien placée pour en parler... »

Elle laissa passer quelques secondes avant d'expliquer : « Mon mari travaille à la DGSI... » Je la regardai avec stupéfaction : c'était la première fois depuis dix ans que je la croisais que je prenais conscience qu'elle avait été une femme, et même dans un sens qu'elle en était encore une, qu'un homme, un jour, avait pu éprouver du désir pour cette créature ramassée et courtaude, presque batracienne. Elle se méprit heureusement sur mon expression. « Je sais... » dit-elle avec satisfaction, « ça surprend toujours. Enfin, tu sais ce que c'est, la DGSI ?

— C'est un service secret ? Un peu comme la DST ?

— La DST n'existe plus. Elle a fusionné avec les Renseignements généraux pour former la DCRI, qui est ensuite devenue la DGSI.

— Ton mari est une sorte d'espion ?

— Pas vraiment, les espions c'est plutôt la DGSE, et ils dépendent du ministère de la Défense. La DGSI fait partie du ministère de l'Intérieur.

— C'est une police politique, alors ? »

Elle sourit à nouveau, plus discrètement, ça l'enlaidissait un peu moins. « Officiellement, ils récusent bien sûr le terme, mais enfin oui, c'est un peu ça. Ils surveillent les mouvements extrémistes, ceux qui pourraient bifurquer vers le terrorisme, c'est une de leurs attributions principales. Tu pourrais passer prendre un verre à la maison, mon mari t'expliquera tout ça. Enfin il t'expliquera ce qu'il a le droit de t'expliquer, je ne sais pas au juste, ça change tout le temps, suivant l'évolution des dossiers. Mais en tout cas il va y avoir de vrais bouleversements après les élections, et qui concernent directement la fac. »

Ils habitaient square Vermenouze, à cinq minutes à pied de Censier. Son mari ne ressemblait pas du tout à un membre des services secrets tel que je me l'imaginais (qu'est-ce que j'imaginais, d'ailleurs ? probablement une espèce de Corse, mélange de truand et de commercial en apéritifs). Souriant et propret, le crâne si lisse qu'il en paraissait lustré, il était vêtu d'une veste d'intérieur aux motifs écossais, mais j'imagine que pendant les horaires de travail il devait porter un nœud papillon, et peut-être un gilet, tout en lui dégageait une élégance vieillotte. Il me donna d'emblée une impression d'agilité intellectuelle presque anormale ; c'était probablement le seul ancien élève de la rue d'Ulm à avoir passé, après son agrégation, le concours d'entrée à l'École nationale supérieure de la police. « Immédiatement après avoir été nommé commissaire », dit-il en me servant un porto, « j'ai demandé mon affectation aux Renseignements généraux ; c'était une sorte de vocation... » ajouta-t-il avec un petit sourire, comme si son goût pour les services secrets n'était qu'une innocente manie.

Il marqua un temps assez long, but une première gorgée de porto, puis une seconde, avant de poursuivre :

« Les négociations entre le Parti socialiste et la Fraternité musulmane sont beaucoup plus difficiles que prévu. Pourtant, les musulmans sont prêts à donner plus de la moitié des ministères à la gauche – y compris des ministères clés comme les Finances et l'Intérieur. Ils n'ont aucune divergence sur l'économie, ni sur la politique fiscale ; pas davantage sur la sécurité – ils ont de surcroît, contrairement à leurs partenaires socialistes, les moyens de faire régner l'ordre dans les cités. Il y a bien quelques désaccords en politique étrangère, ils souhaiteraient de la France une condamnation un peu plus ferme d'Israël, mais ça la gauche leur accordera sans problème. La vraie difficulté, le point d'achoppement des négociations, c'est l'Éducation nationale. L'intérêt pour l'éducation est une vieille tradition socialiste, et le milieu enseignant est le seul qui n'ait jamais abandonné le Parti socialiste, qui ait continué à le soutenir jusqu'au bord du gouffre ; seulement là ils ont affaire à un interlocuteur encore plus motivé qu'eux, et qui ne cédera sous aucun prétexte. La Fraternité musulmane est un parti spécial, vous savez : beaucoup des enjeux politiques habituels les laissent à peu près indifférents ; et, surtout, ils ne placent pas l'économie au centre de tout. Pour eux l'essentiel c'est la démographie, et l'éducation ; la sous-population qui dispose du meilleur taux de reproduction, et qui parvient à transmettre ses valeurs, triomphe ; à leurs yeux c'est aussi simple que ça, l'économie, la géopolitique même ne sont que de la poudre aux yeux : celui qui contrôle les enfants contrôle le futur, point final. Alors le seul point capital, le seul point sur lequel ils veulent absolument avoir satisfaction, c'est l'éducation des enfants.

— Et qu'est-ce qu'ils veulent ?

— Eh bien, pour la Fraternité musulmane, chaque enfant français doit avoir la possibilité de bénéficier, du début à la fin de sa scolarité, d'un enseignement islamique. Et l'enseignement islamique est, à tous points de vue, très différent de l'enseignement laïc. D'abord, il ne peut en aucun cas être mixte ; et seules certaines filières seront ouvertes aux femmes. Ce qu'ils souhaiteraient au fond c'est que la plupart des femmes, après l'école primaire, soient orientées vers des écoles d'éducation ménagère, et qu'elles se marient aussi vite que possible – une petite minorité poursuivant avant de se marier des études littéraires ou artistiques ; ce serait leur modèle de société idéal. Par ailleurs, tous les enseignants, sans exception, devront être musulmans. Les règles concernant le régime alimentaire des cantines, le temps dévolu aux cinq prières quotidiennes devront être respectés ; mais, surtout, le programme scolaire en lui-même devra être adapté aux enseignements du Coran.

— Vous pensez que leurs pourparlers peuvent aboutir ?

— Ils n'ont pas le choix. S'ils échouent à conclure un accord, le Front national est certain de remporter les élections. Y compris s'ils y parviennent, d'ailleurs, il conserve toutes ses chances, vous avez vu les sondages comme moi. Même si Copé vient de déclarer qu'à titre personnel il s'abstiendrait, 85 % des électeurs UMP se reporteront sur le Front national. Ça va être serré, extrêmement serré : du 50-50, vraiment. »

« Non, la seule solution qui leur reste, poursuivit-il, c'est de procéder à un dédoublement systématique des enseignements scolaires. Pour la polygamie d'ailleurs ils sont déjà parvenus à un accord, qui pourrait leur servir de modèle. Le mariage républicain restera inchangé, une union entre deux personnes, hommes ou femmes. Le mariage musulman, éventuellement polygame, n'aura aucune conséquence en termes d'état civil, mais il sera reconnu comme valide, et ouvrira des droits, par les centres de sécurité sociale et les services fiscaux.

— Vous êtes sûr ? Ça me paraît énorme...

— Absolument, c'est déjà acté dans les négociations ; c'est d'ailleurs parfaitement conforme à la théorie de la charia de minorité, qui est soutenue depuis longtemps par la mouvance des Frères musulmans. Eh bien, pour l'éducation, ça pourrait être un peu la même chose. L'école républicaine demeurerait telle quelle, ouverte à tous – mais avec beaucoup moins d'argent, le budget de l'Éducation nationale sera au moins divisé par trois, et cette fois les profs ne pourront rien sauver, dans le contexte économique actuel toute réduction budgétaire sera certaine de rallier un large consensus. Et puis, parallèlement, se mettrait en place un système d'écoles musulmanes privées, qui bénéficieraient de l'équivalence des diplômes – et qui pourraient, elles, recueillir des subventions privées. Évidemment, très vite, l'école publique deviendra une école au rabais, et tous les parents un peu soucieux de l'avenir de leurs enfants les inscriront dans l'enseignement musulman.

— Et pour l'université ce sera pareil » intervint son épouse. « La Sorbonne, en particulier, les fait fantasmer à un point incroyable – l'Arabie saoudite est prête à offrir une dotation presque illimitée ; nous allons devenir une des universités les plus riches du monde.

— Et Rediger sera nommé président ? » demandai-je, me souvenant de notre précédente conversation.

— Oui, bien sûr, il est plus que jamais indiscutable ; ses positions pro-musulmanes sont constantes, depuis au moins vingt ans.

— Il s'est même converti, si ma mémoire est bonne... » intervint son mari.

Je vidai mon verre d'un trait, il me resservit ; en effet, il allait y avoir du nouveau.

« Je suppose que c'est terriblement secret... » repris-je après un temps de réflexion. « Je ne comprends pas ce qui vous pousse à m'en parler.

— En temps ordinaire, je garderais évidemment le silence. Sauf que, là, tout a déjà complètement fuité – et c'est bien ce qui nous inquiète en ce moment. Tout ce que je viens de vous dire, et même davantage, j'ai pu le lire, tel quel, sur les blogs de certains militants identitaires – ceux que nous avons réussi à infiltrer. » Il secoua la tête avec incrédulité. « S'ils avaient réussi à poser des micros dans les salles les mieux protégées du ministère de l'Intérieur, ils n'en sauraient pas davantage. Et le pire, c'est que pour l'instant, ces informations explosives, ils n'en font rien : aucun communiqué de presse, aucune révélation à destination du grand public ; ils attendent, tout simplement. C'est une situation inédite – et parfaitement angoissante. »

J'essayai d'en savoir un peu plus sur la mouvance identitaire, mais il se refermait visiblement. J'avais un collègue à la fac, confiai-je, qui en avait été proche, avant de s'éloigner tout à fait. « Oui, c'est ce qu'ils disent tous... » lâcha-t-il, sarcastique. Lorsque j'abordai la question de l'armement que possédaient dit-on certains de ces groupes, il se contenta de siroter son porto, puis de grommeler : « Oui, il y a eu des bruits de financement par des milliardaires russes... mais rien n'a été réellement établi » avant de se taire définitivement. Je pris congé peu de temps après.

Jeudi 19 mai.

Le lendemain je me dirigeai vers la fac, bien que je n'aie rien à y faire, et je composai le numéro de Lempereur. D'après mes calculs, ça devait être à peu près l'heure où il sortait de son propre cours ; il répondit, en effet. Je lui proposai de boire un verre ; il n'aimait pas tellement les cafés proches de la fac, et me proposa de se retrouver chez Delmas, place de la Contrescarpe.

En remontant la rue Mouffetard, je repensais aux propos de l'époux de Marie-Françoise : mon jeune collègue en savait-il plus qu'il n'avait bien voulu me dire ? Était-il encore directement impliqué dans le mouvement ?

Avec ses fauteuils club en cuir, son parquet sombre et ses rideaux rouges, le Delmas était tout à fait son genre. Il ne serait jamais allé dans le café d'en face, le Contrescarpe, avec ses exaspérantes bibliothèques factices ; c'était un homme de goût. Il commanda une coupe de champagne, je me contentai d'une Leffe pression et quelque chose craqua en moi, je me sentis soudain très las de ma subtilité et de ma modération, et j'attaquai directement, avant même le retour du serveur : « La situation politique paraît très instable... Franchement, qu'est-ce que vous feriez à ma place ? »

Il sourit de ma franchise, mais répondit sur le même ton : « D'abord, je crois que je commencerais par changer de compte en banque.

— De compte en banque ? Pourquoi ?... » Je me rendis compte que j'avais presque crié, je devais être très tendu, sans vraiment m'en rendre compte. Le serveur revint avec nos verres, Lempereur marqua une pause avant de répondre : « Eh bien, il n'est pas certain que les évolutions récentes du Parti socialiste soient très appréciées de son électorat... », et à ce moment je compris qu'il *savait*, qu'il jouait encore un rôle au sein du mouvement, et peut-être un rôle décisif : toutes ces informations secrètes qui avaient fuité dans la nébuleuse identitaire, il les connaissait parfaitement, et c'était peut-être même lui qui avait décidé, jusqu'à présent, de les tenir secrètes.

« Dans ces conditions... » poursuivit-il avec douceur, « la victoire du Front national au second tour devient tout à fait possible. Ils sont obligés – absolument obligés, ils se sont beaucoup trop engagés dans ce sens auprès de leur électorat, qui est massivement souverainiste – de sortir de l'Europe, et du système monétaire européen. À long terme, les conséquences pour l'économie française seront peut-être très bénéfiques ; mais, dans un premier temps, nous allons connaître des convulsions financières considérables ; il n'est pas certain que les banques françaises, même les mieux établies, y résistent. Donc, je vous recommanderais d'ouvrir un compte dans une banque étrangère – plutôt une banque anglaise, par exemple Barclays ou HSBC.

— Et... c'est tout ?

— C'est déjà beaucoup. Sinon... vous possédez un endroit en province où vous pourriez vous réfugier quelque temps ?

— Non, pas vraiment.

— Je vous conseillerais quand même de partir sans trop attendre ; trouvez un petit hôtel, à la campagne. Vous habitez le Chinatown, n'est-ce pas ? Il y a peu de chances qu'il y ait des pillages ou des affrontements graves dans ce quartier ; mais quand même, à votre place, je partirais. Prenez des vacances, attendez un peu, le temps que les choses se décantent.

— J'ai un peu l'impression d'être un rat qui quitte le navire.

— Les rats sont des mammifères intelligents » répondit-il d'un ton posé, amusé presque. « Ils survivront très probablement à l'homme ; leur système social, en tout cas, est largement plus solide.

— L'année universitaire n'est pas tout à fait terminée ; il me reste encore deux semaines de cours.

— Ça !... » Cette fois il sourit franchement, presque hilare. « Il peut se passer beaucoup de choses, la situation est loin d'être prévisible ; mais ce qui me paraît à peu près impossible, c'est que l'année universitaire se termine dans des conditions normales !... »

Puis il se tut, sirotant doucement sa coupe de champagne, et je compris qu'il n'en dirait pas davantage ; un sourire légèrement méprisant flottait toujours sur ses lèvres, bizarrement pourtant il commençait à m'être presque sympathique. Je commandai une deuxième bière, aromatisée à la framboise cette fois ; je n'avais aucune envie de rentrer chez moi, rien ni personne ne m'y attendait. Je me demandais s'il avait une compagne, ou une petite amie quelconque ; probablement, oui. C'était une sorte d'*éminence grise*, de leader politique dans un mouvement plus ou moins clandestin ; il y a des filles qui sont attirées par ça, la chose est reconnue. Il y a aussi des filles qui sont attirées par les spécialistes de Huysmans, à vrai dire. J'avais même parlé une fois à une fille jeune, jolie, attirante, qui fantasmait sur Jean-François Copé ; il m'avait fallu plusieurs jours pour m'en remettre. On rencontre vraiment n'importe quoi, de nos jours, chez les filles.

Vendredi 20 mai.

Le lendemain, j'ouvris un compte à la succursale Barclays de l'avenue des Gobelins. Le transfert des fonds ne prendrait qu'un jour ouvrable, m'informa l'employé ; à ma grande surprise, j'obtins une carte Visa presque immédiatement.

Je décidai de rentrer chez moi à pied, j'avais accompli les formalités de changement de compte machinalement, en état d'automatisme, et j'avais besoin de réfléchir. En débouchant place d'Italie, je fus soudain envahi par la sensation que tout pouvait disparaître. Cette petite Noire aux cheveux bouclés, au cul moulé dans un jean, qui attendait le bus 21, pouvait disparaître ; elle allait certainement disparaître, ou du moins être sérieusement rééduquée. Sur le parvis devant le centre Italie 2 il y avait comme d'habitude des quêteurs, aujourd'hui c'était pour Greenpeace, eux aussi allaient disparaître, je clignai des yeux au moment où un jeune barbu châtain, aux cheveux mi-longs, s'approchait de moi avec son paquet de prospectus, et ce fut comme s'il avait disparu par anticipation, je passai devant lui sans le voir et m'engageai dans les portes vitrées qui conduisaient au niveau zéro de la galerie commerciale.

À l'intérieur du centre, le bilan était plus contrasté. Bricorama était incontestable, mais les jours de Jennyfer étaient sans nul doute comptés, ils ne proposaient rien qui puisse convenir à une adolescente islamique. Le magasin *Secret stories* par contre, qui vendait de la lingerie de marque à des prix dégriffés, n'avait aucun souci à se faire : le succès des magasins analogues dans les galeries marchandes de Riyad et d'Abu Dhabi ne s'était jamais démenti, ni Chantal Thomass ni La Perla n'avaient quoi que ce soit à craindre de l'établissement d'un régime islamique. Vêtues pendant la journée d'impénétrables burqas noires, les riches Saoudiennes se transformaient le soir en oiseaux de paradis, se paraient de guêpières, de soutiens-gorge ajourés, de strings ornés de dentelles multicolores et de pierreries ; exactement l'inverse des Occidentales, classe et sexy pendant la journée parce que leur statut social était en jeu, qui s'affaissaient le soir en rentrant chez elles, abdiquant avec épuisement toute perspective de séduction, revêtant des tenues décontractées et informes. Tout à coup, devant l'échoppe Rapid'Jus (qui proposait des compositions de plus en plus complexes : coco-passion-goyave, mangue-litchi-guarana, il y en avait plus d'une dizaine, aux teneurs vitaminiques effarantes), je repensai à Bruno Deslandes. Je ne l'avais pas revu depuis près de vingt ans, je n'y avais jamais repensé non plus. C'était un de mes camarades doctorants, on peut même dire que nous avions des relations presque amicales, lui-même travaillait sur Laforgue, il avait rédigé une thèse honorable sans plus et immédiatement après il avait passé le concours d'inspecteur des impôts avant de se marier avec Annelise, une fille qu'il avait rencontrée je ne sais où, dans une soirée étudiante quelconque. Elle-même travaillait au service marketing d'un opérateur de téléphonie mobile, elle gagnait beaucoup plus que lui mais il avait la sécurité de l'emploi comme on dit, ils avaient acheté un pavillon à Montigny-le-Bretonneux, ils avaient deux enfants déjà, un garçon et une fille, c'était le seul parmi mes anciens condisciples qui se soit engagé dans une vie familiale normale, les autres ramaient vaguement entre un peu de Meetic, un peu de speed-dating et beaucoup de solitude, je l'avais rencontré par hasard dans le RER et il m'avait invité chez lui le vendredi soir suivant pour un barbecue, on était à la fin juin, il avait une pelouse et pouvait organiser des barbecues, il y aurait quelques voisins, « personne de la fac », m'avait-il prévenu.

L'erreur avait été d'organiser ça un vendredi soir, compris-je d'emblée en arrivant sur la pelouse et en faisant la bise à sa femme, elle avait travaillé toute la journée et rentrait chez elle crevée, en plus elle s'était monté la tête à force de regarder les rediffusions d'*Un dîner presque parfait* sur M6 et avait prévu des choses beaucoup trop sophistiquées, le soufflé aux morilles c'était sans espoir mais au moment où il devint évident que même le guacamole allait être raté j'ai cru qu'elle allait éclater en sanglots, son fils de trois ans se mit à pousser des hurlements et Bruno, qui avait commencé à se péter la gueule dès l'arrivée des premiers invités, ne pouvait lui être d'aucun secours pour retourner les saucisses, alors je vins à son aide, du fond de son désespoir elle me jeta un regard éperdu de gratitude, c'était plus complexe que je ne le pensais un barbecue, les côtelettes d'agneau se recouvraient à vive allure d'une pellicule carbonisée, noirâtre et probablement cancérigène, le feu devait être trop fort mais je n'y connaissais rien, si je plongeais dans le mécanisme je risquais de faire exploser la bouteille de butane, nous étions seuls devant un tas de viande carbonisée et les autres invités vidaient les bouteilles de rosé sans nous prêter la moindre attention, c'est avec soulagement que je vis arriver l'orage, les premières gouttes tombèrent sur nous, obliques et glaciales, ce fut une retraite immédiate vers le living, la soirée évoluait vers le buffet froid. Au moment où elle s'abattait sur son canapé, jetant un regard hostile au taboulé, je songeai à la vie d'Annelise, et à celle de toutes les femmes occidentales. Le matin probablement elle se faisait un brushing puis elle s'habillait avec soin, conformément à son statut professionnel, et je pense que dans son cas elle était plus élégante que sexy, enfin c'était un dosage complexe, elle devait y passer pas mal de temps avant d'aller mettre les enfants à la crèche, la journée se passait en mails, en téléphone, en rendez-vous divers puis

100

elle rentrait vers vingt et une heures, épuisée (c'était Bruno qui allait chercher les enfants le soir, qui les faisait dîner, il avait des horaires de fonctionnaire), elle s'effondrait, passait un sweat-shirt et un bas de jogging, c'est ainsi qu'elle se présentait devant son seigneur et maître et il devait avoir, il devait nécessairement avoir la sensation de s'être fait baiser quelque part, et elle-même avait la sensation de s'être fait baiser quelque part, et que ça n'allait pas s'arranger avec les années, les enfants qui allaient grandir et les responsabilités professionnelles qui allaient comme mécaniquement augmenter, sans même tenir compte de l'affaissement des chairs.

Je partis parmi les derniers, j'aidai même Annelise à ranger, je n'avais pas la moindre intention de me lancer dans une aventure avec elle – ce qui aurait été possible, tout dans sa situation paraissait possible. Je voulais juste lui faire ressentir une espèce de solidarité, de solidarité vaine.

Bruno et Annelise étaient certainement divorcés maintenant, c'est ainsi que ça se passait de nos jours ; un siècle plus tôt, à l'époque de Huysmans, ils seraient restés ensemble, et peut-être n'auraient-ils pas été si malheureux, en fin de compte. En rentrant chez moi je me servis un grand verre de vin et me replongeai dans *En ménage*, j'en avais le souvenir d'un des meilleurs romans de Huysmans et d'emblée je retrouvai le plaisir de lecture, après presque vingt ans là aussi, miraculeusement intact. Jamais peut-être le bonheur tiède des vieux couples n'avait été exprimé avec une telle douceur : « André et Jeanne n'eurent bientôt plus que de béates tendresses, de maternelles satisfactions à coucher quelquefois ensemble, à s'allonger simplement pour être l'un près de l'autre, pour causer avant de se camper dos à dos et de dormir. » C'était beau, mais était-ce vraisemblable ? Était-ce un horizon envisageable aujourd'hui ? C'était de toute évidence lié aux plaisirs de la table : « La gourmandise s'était introduite chez eux comme un nouvel intérêt, amené par l'incuriosité grandissante de leurs sens, comme une passion de prêtres qui, privés de joies charnelles, hennissent devant des mets délicats et de vieux vins. » Certainement, à l'époque où la femme achetait et épluchait elle-même ses légumes, apprêtait ses viandes et faisait mijoter ses ragoûts pendant des heures, une relation tendre et nourricière pouvait se développer ; les évolutions des conditionnements alimentaires avaient fait oublier cette sensation qui d'ailleurs, Huysmans l'avouait avec franchise, n'était qu'une faible compensation à la perte des plaisirs charnels. Lui-même, dans sa propre vie, ne s'était nullement mis en ménage avec l'une de ces femmes « pot-au-feu », les seules qui puissent selon Baudelaire, avec les « filles », convenir au littérateur – observation d'autant plus juste que la fille peut parfaitement, avec les années, se transformer en femme pot-au-feu, que c'est même son désir secret et sa pente naturelle. Il avait au contraire, après une période de « débauche » certainement toute relative, bifurqué vers la vie monastique, et c'est là que je me séparais de lui. J'attrapai *En route*, essayai de lire quelques pages puis me replongeai dans *En ménage*, la fibre spirituelle était décidément presque inexistante en moi et c'était dommage parce que la vie monastique existait toujours, inchangée depuis des siècles, alors que les femmes pot-au-feu, où les trouver maintenant ? À l'époque de Huysmans elles existaient certainement encore, mais le milieu littéraire où il évoluait ne lui avait pas permis de les rencontrer. La faculté n'était guère un milieu plus favorable, à vrai dire. Myriam par exemple aurait-elle pu, les années passant, se transformer en femme pot-au-feu ? J'étais en train de me poser la question quand mon portable sonna et curieusement c'était elle, j'en bafouillai de surprise, je ne m'attendais pas du tout à ce qu'elle me rappelle, en réalité. Je jetai un coup d'œil au réveil : il était déjà dix heures du soir, j'avais été complètement absorbé par ma lecture, j'en avais oublié de manger. Je m'aperçus aussi que j'avais, par contre, presque terminé ma deuxième bouteille de vin.

« On pourrait..., elle hésita, j'avais pensé qu'on pourrait se voir demain soir.

— Oui ?...

— C'est ton anniversaire demain. Tu l'avais peut-être oublié ?

— Oui. Oui, j'avais complètement oublié, à vrai dire.

— Et puis..., elle eut un nouveau moment d'hésitation, j'ai autre chose à te dire, aussi. Enfin, ça serait bien qu'on se voie. »

Samedi 21 mai.

Je me réveillai à quatre heures du matin, après l'appel de Myriam j'avais terminé *En ménage*, ce livre était décidément un chef-d'œuvre, je n'avais dormi qu'un peu plus de trois heures. La femme qu'avait recherchée Huysmans toute sa vie, il l'avait déjà décrite à l'âge de vingt-sept ou vingt-huit ans, dans *Marthe*, son premier roman, publié à Bruxelles en 1876. Femme pot-au-feu la plupart du temps, elle devait rester capable de se transformer en fille, à heures fixes précisait-il. Ça ne paraissait pas très compliqué de se transformer en fille, plutôt moins que de réussir une béarnaise ; il n'empêche que, cette femme, il l'avait recherchée en vain. Et que je n'avais, pour l'instant, pas davantage réussi. En soi ça ne me faisait pas tellement d'effet d'avoir quarante-quatre ans, ce n'était qu'un anniversaire très ordinaire ; mais c'était à l'âge de quarante-quatre ans, exactement, que Huysmans avait retrouvé la foi. Du 12 au 20 juillet 1892, il effectuait son premier séjour à la trappe d'Igny, dans la Marne. Le 14 juillet il se confessait, après d'énormes hésitations scrupuleusement retracées dans *En route*. Le 15 juillet, pour la première fois depuis son enfance, il recevait la communion.

Lorsque j'écrivais ma thèse sur Huysmans, j'avais passé une semaine à l'abbaye de Ligugé, où il avait reçu quelques années plus tard l'oblature, et une autre semaine à l'abbaye d'Igny. Celle-ci avait entièrement été détruite pendant la Première guerre mondiale, mais mon séjour m'avait quand même beaucoup aidé. La décoration et l'ameublement, bien sûr modernisés, avaient gardé cette simplicité, cette nudité qui avaient frappé Huysmans ; et l'horaire des multiples prières et offices quotidiens, depuis l'angélus de quatre heures du matin jusqu'au *Salve Regina* du soir, était resté le même. Les repas étaient pris en silence, ce qui était très reposant, par rapport au restaurant universitaire ; je me souvenais aussi que les moniales fabriquaient du chocolat et des macarons – leurs produits, recommandés par le *Petit Futé*, étaient expédiés dans toute la France.

Je comprenais aisément qu'on soit attiré par la vie monastique – même si, j'en étais conscient, mon point de vue était très différent de celui de Huysmans. Je ne parvenais pas du tout à ressentir son dégoût affiché pour les passions charnelles, ni même à me le représenter. Mon corps en général était le siège de différentes affections douloureuses – migraines, maladies de peau, maux de dents, hémorroïdes – qui se succédaient sans interruption, ne me laissant pratiquement jamais en paix – et je n'avais que quarante-quatre ans ! Que serait-ce quand j'en aurais cinquante, soixante, davantage !... Je ne serais plus alors qu'une juxtaposition d'organes en décomposition lente, et ma vie deviendrait une torture incessante, morne et sans joie, mesquine. Ma bite était au fond le seul de mes organes qui ne se soit jamais manifesté à ma conscience par le biais de la douleur, mais par celui de la jouissance. Modeste mais robuste, elle m'avait toujours fidèlement servi – enfin c'était peut-être moi, au contraire, qui étais à son service, l'idée pouvait se soutenir, mais alors sa férule était bien douce : elle ne me donnait jamais d'ordres, elle m'incitait parfois, humblement, sans acrimonie et sans colère, à me mêler davantage à la vie sociale. Je savais que ce soir elle intercéderait en faveur de Myriam, elle avait toujours eu de bonnes relations avec Myriam, Myriam l'avait toujours traitée avec affection et respect, et cela m'avait donné énormément de plaisir. Et des sources de plaisir, en général, je n'en avais guère ; au fond, je n'avais même plus que celle-là. Mon intérêt pour la vie intellectuelle avait beaucoup décru ; mon existence sociale n'était guère plus satisfaisante que mon existence corporelle, elle aussi se présentait comme une succession de petits ennuis – lavabo bouché, Internet en panne, perte de points de permis, femme de ménage malhonnête, erreur de déclaration d'impôts – qui là aussi se succédaient sans interruption, ne me laissant pratiquement jamais en paix. Au monastère, on échappait j'imagine à la plupart de ces soucis ; on déposait le fardeau de l'existence individuelle. On renonçait, également, au plaisir ; mais c'était un choix qui pouvait se soutenir. Il était dommage, me dis-je en poursuivant ma lecture, que Huysmans ait tellement insisté, dans *En route*, sur son dégoût de ses débauches passées ; peut-être, là, n'avait-il pas été entièrement honnête. Ce qui l'attirait dans le monastère, je le soupçonnais, ce n'était pas avant tout qu'on y échappât à la quête des plaisirs charnels ; c'était plutôt qu'on pût s'y libérer de l'épuisante et morne succession des petits tracas de la vie quotidienne, de tout ce qu'il avait si magistralement décrit dans *À vau-l'eau*. Au monastère, au moins, on vous assurait le gîte et le couvert – avec, en prime, la vie éternelle dans le meilleur des cas.

Myriam sonna à ma porte vers dix-neuf heures. « Bon anniversaire, François... » me dit-elle aussitôt, sur le pas de la porte, d'une toute petite voix, puis elle se précipita sur moi et m'embrassa sur la bouche, le baiser fut long, voluptueux, nos lèvres et nos langues se mêlèrent. En revenant avec elle vers le salon, je me rendis compte qu'elle était encore plus sexy que la dernière fois. Elle avait mis une autre minijupe noire, encore plus courte, et portait des bas, lorsqu'elle s'assit sur le canapé je distinguai l'attache du porte-jarretelles, noire sur le haut de sa cuisse très blanche. Son chemisier, noir lui aussi, était complètement transparent, on voyait très bien ses seins bouger – je me rendis compte que mes doigts conservaient la mémoire du toucher des aréoles, elle eut un sourire hésitant, il y avait dans cet instant quelque chose d'indécis et de fatal.

« Tu m'as apporté un cadeau ? » demandai-je d'un ton que je voulais plaisant, comme une tentative pour alléger l'atmosphère.

— Non », répondit-elle avec gravité, « je n'ai rien trouvé qui me plaise vraiment. »

Après un nouveau temps de silence, d'un seul coup, elle écarta largement les cuisses ; elle ne portait pas de culotte, et sa jupe était si courte que la ligne de la chatte apparut, épilée et candide. « Je vais te faire une pipe... » dit-elle, « une très bonne pipe. Viens, assieds-toi sur le canapé. »

J'obéis, la laissai me déshabiller. Elle s'agenouilla devant moi et commença par une feuille de rose, longue et tendre, avant de me prendre par la main et de me relever. Je m'adossai contre le mur. Elle s'agenouilla de nouveau et commença à me lécher les couilles tout en me branlant à petits coups rapides.

« Quand tu veux, je passe à la bite... » dit-elle, s'interrompant un instant. J'attendis encore, jusqu'à ce que le désir devienne irrésistible, avant de dire : « Maintenant ».

Je la regardai dans les yeux juste avant que sa langue ne se pose sur mon sexe, la voir faire augmentait encore mon excitation ; elle était dans un état étrange, mélange de concentration et de frénésie, sa langue virevoltait sur mon gland, tantôt rapide, tantôt appuyée et lente ; sa main gauche serrait la base de ma bite tandis que les doigts de sa main droite tapotaient mes couilles, les vagues de plaisir déferlaient et balayaient ma conscience, je tenais à peine sur mes jambes, j'étais à deux doigts de m'évanouir. Juste avant d'exploser dans un hurlement, j'eus la force de supplier : « Arrête… Arrête… » J'avais à peine reconnu ma voix – déformée, presque inaudible.

« Tu ne veux pas jouir dans ma bouche ?

— Pas maintenant.

— Bon… J'espère que ça veut dire que tu auras envie de me baiser un peu plus tard. On va manger, non ? »

Cette fois j'avais commandé les sushis à l'avance, ils attendaient depuis le milieu de l'après-midi dans le réfrigérateur ; et j'avais mis deux bouteilles de champagne au frais.

« Tu sais, François… » dit-elle après avoir bu une première gorgée, « je ne suis pas une pute, ni une nymphomane. Si je te suce comme ça, c'est parce que je t'aime. Que je t'aime vraiment. Tu le sais ? »

Oui, je le savais. Je savais qu'il y avait autre chose, aussi, qu'elle n'arrivait pas à me dire. Je la fixai longuement, cherchant en vain comment aborder le sujet. Elle finit sa coupe de champagne, soupira, se servit une deuxième coupe avant de lâcher : « Mes parents ont décidé de quitter la France. »

J'en restai sans voix. Elle but sa coupe, s'en resservit une troisième avant de poursuivre.

« Ils émigrent en Israël. On prend l'avion pour Tel-Aviv mercredi prochain. Ils n'attendent même pas le second tour de la présidentielle. Ce qui est complètement dingue, c'est qu'ils ont tout organisé dans notre dos, sans rien nous dire : ils ont ouvert un compte en banque en Israël, ils se sont arrangés pour louer un appartement à distance ; mon père a liquidé ses points de retraite, ils ont mis la maison en vente, et tout ça sans nous en parler. Ma petite sœur et mon petit frère à la limite je comprends, ils sont peut-être un peu jeunes, mais moi j'ai vingt-deux ans et ils me mettent, comme ça, devant le fait accompli !... Ils ne me forcent pas à partir, si j'insiste vraiment ils sont prêts à me louer une chambre à Paris ; mais c'est vrai que ça va être les vacances universitaires, et je sens bien que je ne peux pas les laisser, enfin pas maintenant, ils seraient trop inquiets. Je ne m'en étais pas rendu compte mais depuis quelques mois leurs fréquentations ont changé, ils ne voient plus que d'autres Juifs. Ils ont passé des soirées ensemble, ils se sont monté la tête mutuellement, ils ne sont pas les seuls à partir, il y a au moins quatre ou cinq de leurs amis qui ont tout liquidé pour s'installer en Israël. J'ai discuté une nuit entière avec eux, sans parvenir à entamer leur détermination, ils sont persuadés qu'il va se passer quelque chose de grave en France pour les Juifs, c'est bizarre c'est un truc qui leur vient sur le tard, à cinquante ans passés, je leur ai dit que c'était complètement con, que ça fait bien longtemps que le Front national n'a plus rien d'antisémite !...

— Pas si longtemps que ça. Tu es trop jeune pour l'avoir connu, mais le père, Jean-Marie Le Pen, faisait encore le lien avec la vieille tradition de l'extrême-droite française. C'était un abruti, à peu près complètement inculte, il n'avait certainement pas lu Drumont ni Maurras ; mais je pense qu'il en avait entendu parler, que ça faisait partie de son horizon mental. Pour la fille, évidemment, ça ne veut plus rien dire du tout. Cela dit, même si c'est le musulman qui passe, je ne crois pas que tu aies grand-chose à craindre. Il est tout de même allié avec le Parti socialiste, il ne peut pas faire n'importe quoi.

— Là... », elle secoua la tête, dubitative, « là, je suis moins optimiste que toi. Quand un parti musulman arrive au pouvoir, ce n'est jamais très bon pour les Juifs. Je ne vois pas de contre-exemple... »

Je restai coi ; je ne connaissais au fond pas bien l'histoire, au lycée j'étais un élève inattentif et par la suite je n'avais jamais réussi à lire un livre d'histoire, jamais jusqu'au bout.

Elle se resservit à nouveau. C'était la chose à faire, certainement, de s'enivrer un peu, compte tenu des circonstances ; en plus le champagne était bon.

« Mon frère et ma sœur peuvent continuer leurs études au lycée ; moi aussi je pourrais aller à l'université de Tel-Aviv, j'aurais une équivalence partielle. Mais qu'est-ce que je vais faire en Israël ? Je ne parle pas un mot d'hébreu. Mon pays, c'est la France. »

Sa voix s'altéra légèrement, je sentis qu'elle était au bord des larmes. « J'aime la France !... » dit-elle d'une voix de plus en plus étranglée, « j'aime, je sais pas... j'aime le fromage ! »

— J'en ai ! » Je me levai d'un bond clownesque pour essayer de détendre l'atmosphère, cherchai dans le réfrigérateur : en effet j'avais acheté du Saint-Marcellin, du comté, du bleu des Causses. J'ouvris aussi une bouteille de vin blanc ; elle n'y prêta aucune attention.

« Et puis... et puis je veux pas que ça s'arrête entre nous », dit-elle, puis elle se mit à pleurer. Je me levai, je la pris dans mes bras ; je ne voyais rien de sensé à lui répondre. Je la conduisis jusqu'à la chambre, je l'enlaçai à nouveau. Elle continuait de pleurer doucement.

Je me réveillai vers quatre heures du matin ; c'était une nuit de pleine lune, on y voyait très bien dans la chambre. Myriam était allongée sur le ventre, uniquement vêtue d'un tee-shirt. La circulation sur le boulevard était pratiquement nulle. Au bout de deux ou trois minutes un utilitaire Renault Trafic arriva à petite allure, s'arrêta au niveau de la tour. Deux Chinois en sortirent pour fumer une cigarette, semblant examiner les environs ; puis, sans raison apparente, ils remontèrent dans le véhicule, qui s'éloigna en direction de la porte d'Italie. Je revins sur le lit, caressai ses fesses ; elle se blottit contre moi sans se réveiller.

Je la retournai, écartai ses cuisses et commençai à la caresser ; presque tout de suite elle fut mouillée, et je vins en elle. Elle avait toujours aimé cette position simple. Je remontai ses cuisses pour la pénétrer bien profond, et je commençai à aller et venir. On dit souvent que la jouissance féminine est complexe, mystérieuse ; mais, pour ma part, le mécanisme de ma propre jouissance m'était encore plus inconnu. Je sentis tout de suite que cette fois j'allais être capable de me contrôler aussi longtemps que nécessaire, que j'allais pouvoir stopper à volonté la montée du plaisir. Mes reins bougeaient souplement, sans fatigue, au bout de quelques minutes elle se mit à gémir, puis à hurler et je continuai à la pénétrer, je continuai même lorsqu'elle commença à contracter sa chatte sur ma queue, je respirais lentement, sans efforts, j'avais l'impression d'être éternel, puis elle eut un très long gémissement, je m'abattis sur elle et l'entourai de mes bras, elle répétait : « Mon chéri... Mon chéri... » en pleurant.

Dimanche 22 mai.

Je me réveillai à nouveau vers huit heures, préparai une cafetière, me recouchai ; Myriam respirait avec régularité, son souffle accompagnait sur un tempo plus alangui le bruit discret de la percolation. De petits cumulus joufflus flottaient dans l'azur ; ils étaient pour moi depuis toujours les nuages du bonheur, ceux dont le blanc brillant n'est là que pour rehausser le bleu du ciel, ceux que les enfants représentent lorsqu'ils dessinent une chaumière idéale, avec une cheminée fumante, une pelouse et des fleurs. Je ne sais pas très bien ce qui m'a pris de mettre iTélé, juste après m'être servi une première tasse de café. Le son était réglé trop fort et je mis du temps à trouver la télécommande pour appuyer sur la touche Mute. Trop tard, elle s'était réveillée ; toujours en tee-shirt, elle vint se pelotonner sur le canapé du salon. Notre bref moment de paix était terminé ; je remis le son. Les informations sur les négociations secrètes entre le Parti socialiste et la Fraternité musulmane avaient été balancées sur le

Net pendant la nuit. Que ce soit sur iTélé, BFM ou LCI, on ne parlait plus que de ça, c'était une édition spéciale permanente. Il n'y avait pour l'instant aucune réaction de Manuel Valls ; mais Mohammed Ben Abbes devait tenir une conférence de presse à onze heures.

Replet et enjoué, fréquemment malicieux dans ses réponses aux journalistes, le candidat musulman faisait parfaitement oublier qu'il avait été un des plus jeunes polytechniciens de France avant d'intégrer l'ENA, dans la promotion Nelson Mandela – la même que Laurent Wauquiez. Il évoquait plutôt un bon vieil épicier tunisien de quartier – ce que son père avait été d'ailleurs, même si son épicerie était située à Neuilly-sur-Seine, et pas dans le 18e arrondissement, encore moins à Bezons ou à Argenteuil.

Plus que tout autre, rappela-t-il cette fois-ci, il avait bénéficié de la méritocratie républicaine ; moins que tout autre, il souhaitait porter atteinte à un système auquel il devait tout, et jusqu'à cet honneur suprême de se présenter au suffrage du peuple français. Il évoqua le petit appartement au-dessus de l'épicerie, où il faisait ses devoirs ; il ressuscita brièvement la figure de son père, avec juste ce qu'il fallait d'émotion ; je le trouvais absolument excellent.

Mais les temps, il fallait en convenir, poursuivit-il, avaient changé. De plus en plus souvent, les familles – qu'elles soient juives, chrétiennes ou musulmanes – souhaitaient pour leurs enfants une éducation qui ne se limite pas à la transmission des connaissances, mais intègre une formation spirituelle correspondant à leur tradition. Ce retour du religieux était une tendance profonde, qui traversait nos sociétés, et l'Éducation nationale ne pouvait pas ne pas en tenir compte. Il s'agissait en somme d'élargir le cadre de l'école républicaine, de la rendre capable de coexister harmonieusement avec les grandes traditions spirituelles – musulmanes, chrétiennes ou juives – de notre pays.

Suave et ronronnant, son discours se poursuivit pendant une dizaine de minutes avant qu'on ne passe aux questions de la presse. J'avais remarqué depuis longtemps que les journalistes les plus teigneux, les plus agressifs étaient comme hypnotisés, ramollis en présence de Mohammed Ben Abbes. Il y avait pourtant, me semblait-il, des questions embarrassantes qu'on aurait pu lui poser : la suppression de la mixité, par exemple ; ou le fait que les enseignants devraient embrasser la foi musulmane. Mais après tout n'était-ce pas le cas, déjà, chez les catholiques ? Fallait-il être baptisé pour enseigner dans une école chrétienne ? En y réfléchissant je me rendais compte que je n'en savais rien, et au moment où s'achevait la conférence de presse je compris que j'en étais arrivé exactement là où le candidat musulman voulait me mener : une sorte de doute généralisé, la sensation qu'il n'y avait rien là de quoi s'alarmer, ni de véritablement nouveau.

Marine Le Pen contre-attaqua à midi trente. Vive et brushée de frais, filmée en légère contre-plongée devant l'Hôtel de Ville, elle était presque belle – ce qui contrastait nettement avec ses apparitions précédentes : depuis le tournant de 2017, la candidate nationale s'était persuadée que, pour accéder à la magistrature suprême, une femme devait nécessairement ressembler à Angela Merkel, et elle s'appliquait à égaler la respectabilité rébarbative de la chancelière allemande, allant jusqu'à copier la coupe de ses tailleurs. Mais, en ce matin de mai, elle semblait avoir retrouvé une flamboyance, un élan révolutionnaire qui rappelaient les origines du mouvement. Le bruit courait depuis quelque temps que certains de ses discours étaient écrits par Renaud Camus – sous la surveillance de Florian Philippot. Je ne sais pas si ce bruit était fondé, mais elle avait en tout cas fait des progrès considérables. D'emblée, je fus frappé par le caractère républicain, et même franchement anticlérical, de son intervention. Dépassant la référence banale à Jules Ferry, elle remontait jusqu'à Condorcet, dont elle citait le mémorable discours de 1792 devant l'Assemblée législative, où il évoque ces Égyptiens, ces Indiens « chez qui l'esprit humain fit tant de progrès, et qui retombèrent dans l'abrutissement de la plus honteuse ignorance, au moment que la puissance religieuse s'empara du droit d'instruire les hommes ».

« Je croyais qu'elle était catho… me fit remarquer Myriam.

— Je ne sais pas, mais son électorat ne l'est pas, jamais le Front national n'a réussi à percer chez les catholiques, ils sont trop solidaires et tiers-mondistes. Alors, elle s'adapte. »

Elle regarda sa montre, eut un geste de lassitude. « Il faut que j'y aille, François. J'ai promis à mes parents de déjeuner avec eux.

— Ils savent que tu es ici ?

— Oui oui, ils ne vont pas s'inquiéter ; mais ils vont m'attendre pour manger. »

J'étais allé une fois chez ses parents, tout à fait au début de notre relation. Ils habitaient une maison cité des Fleurs, derrière le métro Brochant. Il y avait un garage, un atelier, on se serait cru dans une petite ville de province, n'importe où sauf à Paris. Je me souviens que nous avions dîné sur la pelouse, c'était la saison des jonquilles. Ils avaient été gentils avec moi, accueillants et chaleureux – sans paraître non plus m'accorder une importance extrême, ce qui était encore mieux. Au moment où son père débouchait une bouteille de Châteauneuf-du-Pape, j'avais tout à coup pris conscience que Myriam, à vingt ans passés, mangeait encore tous les soirs avec ses parents ; qu'elle aidait son petit frère à faire ses devoirs, qu'elle allait acheter des fringues avec sa petite sœur. C'était une tribu, une tribu familiale soudée ; et par rapport à tout ce que j'avais connu c'était tellement inouï que j'avais eu beaucoup de mal à m'empêcher d'éclater en sanglots.

Je coupai le son ; les mouvements de Marine Le Pen se faisaient plus vifs, elle assénait des coups de poing dans l'air devant elle, à un moment elle écarta violemment les bras. Évidemment Myriam allait partir avec ses parents en Israël, elle ne pouvait pas faire autrement.

« J'espère vraiment revenir bientôt, tu sais... » dit-elle comme si elle avait lu dans mes pensées. « Juste rester quelques mois, le temps que les choses se décantent en France. » Je trouvais son optimisme un peu exagéré, mais je me tus.

Elle enfila sa jupe. « Là, évidemment, avec ce qui se passe, ils vont triompher, je vais en entendre pendant tout le repas. "On te l'avait bien dit, ma fille..." Bon, ils sont gentils, ils pensent que c'est pour mon bien, je sais.

— Oui, ils sont gentils. Ils sont vraiment gentils.

— Et toi, qu'est-ce que tu vas faire ? Comment tu crois que ça va se passer, à la fac ? »

Je l'accompagnai sur le pas de la porte ; de fait, je me rendais compte que je n'en avais pas la moindre idée ; et je me rendais compte également que je m'en foutais. Je l'embrassai doucement sur les lèvres avant de répondre : « Il n'y a pas d'Israël pour moi. » Une pensée bien pauvre ; mais une pensée exacte. Puis elle disparut dans l'ascenseur.

Il y eut ensuite un intervalle de temps de quelques heures. Le soleil se couchait entre les tours lorsque j'émergeai de nouveau à la pleine conscience de moi-même, des circonstances, de tout. Mon esprit avait erré dans des zones incertaines et sombres, je me sentais triste à en mourir. Les phrases de Huysmans dans *En ménage* revenaient sans cesse, lancinantes, et je pris alors douloureusement conscience que je n'avais même pas proposé à Myriam de venir habiter chez moi, de s'installer ensemble, mais tout de suite après je me rendis compte que le problème n'était pas là, que ses parents étaient de toute façon prêts à lui louer une chambre, et que mon appartement n'était qu'un deux-pièces, un grand deux-pièces certes mais un deux-pièces, vivre ensemble aurait certainement conduit, à très brève échéance, à la disparition de tout désir sexuel, et nous étions encore trop jeunes pour que notre couple y survive.

À une époque plus ancienne, les gens constituaient des familles, c'est-à-dire qu'après s'être reproduits ils trimaient encore quelques années, le temps que leurs enfants parviennent à l'âge adulte, puis ils rejoignaient leur Créateur. Mais c'est plutôt vers l'âge de cinquante ou de soixante ans, maintenant, qu'il était raisonnable pour un couple de se mettre en ménage, au moment où les corps vieillis, endoloris, n'éprouvent plus que le besoin d'un contact familier, rassurant et chaste ; au moment aussi où la cuisine de terroir, telle qu'elle est célébrée par exemple dans *Les Escapades de Petitrenaud*, prend définitivement le pas sur les autres plaisirs. Je jouai quelque temps avec l'idée d'un article destiné au *Journal des dix-neuviémistes*, dans lequel j'établirais qu'après une longue et fastidieuse période moderniste, les conclusions désabusées de Huysmans étaient de nouveau d'actualité, et cela plus que jamais, comme le montrait la multiplication sur toutes les chaînes des émissions à succès consacrées à la cuisine, et tout particulièrement à la cuisine de terroir ; puis je me rendis compte que je n'avais plus en moi l'énergie, le désir nécessaires pour écrire un article, fût-ce dans une publication aussi confidentielle que le *Journal des dix-neuviémistes*. Je me rendis compte en même temps, avec une sorte d'hébétude incrédule, que la télévision était toujours allumée, toujours sur iTélé. Je remis le son : Marine Le Pen avait depuis longtemps terminé son discours, mais il était au centre de tous les commentaires. J'appris ainsi que la leader nationale avait appelé pour mercredi à une manifestation immense, qui remonterait les Champs-Élysées. Elle n'envisageait nullement de demander d'autorisation à la Préfecture de police, et en cas d'interdiction avertissait d'avance les autorités que la manifestation aurait lieu « quoi qu'il arrive ». Elle avait conclu son discours en citant un article de la Déclaration des droits de l'homme et du citoyen, celle de 1793 : « Quand le gouvernement viole les droits du peuple, l'insurrection est, pour le peuple et pour chaque portion du peuple, le plus sacré des droits et le plus indispensable des devoirs. » Le mot d'*insurrection* avait naturellement provoqué de nombreux commentaires, et avait même eu ce résultat inattendu de faire sortir François Hollande de son silence prolongé. À l'issue de ses deux quinquennats calamiteux, n'ayant dû sa réélection qu'à la stratégie minable consistant à favoriser la montée du Front national, le président sortant avait pratiquement renoncé à s'exprimer, et la plupart des médias semblaient même avoir oublié son existence. Lorsque, sur le perron de l'Élysée, devant la petite dizaine de journalistes présents, il se présenta comme le « dernier rempart de l'ordre républicain », il y eut quelques rires, brefs mais très perceptibles. Une dizaine de minutes plus tard, le premier ministre fit à son tour une déclaration. Très rouge, les veines du front gonflées, il paraissait être au bord du coup de sang, et prévint tous ceux qui se mettaient en marge de la légalité démocratique qu'ils seraient traités, en effet, comme des hors-la-loi. Finalement, le seul à garder son sang-froid fut Mohammed Ben Abbes, qui défendit le droit à manifester et proposa à Marine Le Pen un débat sur la laïcité – ce qui, de l'avis de la plupart des commentateurs, était adroit, dans la mesure où il était à peu près exclu qu'elle accepte, ce qui lui donnait à peu de frais l'image d'un homme de modération et de dialogue.

Je finis par me lasser et par zapper vaguement entre des téléréalités quelconques sur l'obésité, avant de couper définitivement la télé. Que l'histoire politique puisse jouer un rôle dans ma propre vie continuait à me déconcerter, et à me répugner un peu. Je me rendais bien compte pourtant, et depuis des années, que l'écart croissant, devenu abyssal, entre la population et ceux qui parlaient en son nom, politiciens et journalistes, devait nécessairement conduire à quelque chose de chaotique, de violent et d'imprévisible. La France, comme les autres pays d'Europe occidentale, se dirigeait depuis longtemps vers la guerre civile, c'était une évidence ; mais jusqu'à ces derniers jours j'étais encore persuadé que les Français dans leur immense majorité restaient résignés et apathiques – sans doute parce que j'étais moi-même passablement résigné et apathique. Je m'étais trompé.

Myriam ne me rappela que le mardi soir, un peu après onze heures ; elle avait une bonne voix, toute sa confiance en l'avenir semblait être revenue : selon elle, les choses allaient rapidement s'arranger en France – pour ma part, j'en doutais. Elle avait même réussi à se persuader que Nicolas Sarkozy allait faire son retour dans le jeu politique, et être accueilli comme un sauveur. Je n'eus pas le cœur de la détromper, mais cela me paraissait très improbable ;

123

j'avais l'impression que Sarkozy avait au fond de lui-même renoncé, que depuis 2017 il avait définitivement tiré un trait sur cette période de sa vie.

Elle prenait l'avion tôt le lendemain matin. Nous ne pourrions pas nous revoir, donc, avant son départ ; elle avait eu beaucoup de choses à faire – à commencer par sa valise, ce n'est pas si simple de faire tenir une vie en trente kilos de bagages. Je m'y attendais ; j'eus quand même un léger pincement au cœur en raccrochant. Je savais que j'allais, maintenant, être bien seul.

Mercredi 25 mai.

Je me sentais pourtant d'une humeur presque guillerette, le matin suivant, lorsque je pris le métro pour aller à la fac – les événements politiques des derniers jours, et jusqu'au départ de Myriam, m'apparaissaient comme un mauvais rêve, une erreur qui serait promptement corrigée. Ma surprise fut grande, en arrivant rue de Santeuil, de constater que les grilles donnant accès aux bâtiments d'enseignement étaient hermétiquement closes – les vigiles les ouvraient d'ordinaire dès huit heures moins le quart. Plusieurs étudiants, parmi lesquels je reconnus certains de mes deuxième année, patientaient devant l'entrée.

Ce n'est que vers huit heures et demie qu'un vigile fit son apparition, venant du secrétariat principal, et se posta derrière les grilles pour nous informer que la fac était fermée toute la journée, et le resterait jusqu'à nouvel ordre. Il ne pouvait pas nous en dire plus ; nous devions rentrer chez nous, nous serions « informés individuellement ». C'était un Noir bonhomme, un Sénégalais si je me souviens bien, que je connaissais depuis des années, et que j'aimais bien. Il me retint par le bras, juste avant que je m'éloigne, pour me dire que d'après les bruits qui couraient dans le personnel la situation était grave, réellement grave, et que ça l'étonnerait beaucoup que la fac rouvre dans les prochaines semaines.

Marie-Françoise, elle, savait peut-être quelque chose ; dans la matinée je tentai plusieurs fois de la joindre, sans succès. En désespoir de cause, vers treize heures trente, j'allumai iTélé. Beaucoup des participants à la manifestation organisée par le Front national étaient déjà arrivés : la place de la Concorde, le jardin des Tuileries étaient noirs de monde. D'après les organisateurs, il y avait deux millions de personnes – et trois cent mille d'après la police. Quoi qu'il en soit, je n'avais jamais vu une foule pareille.

Un cumulonimbus géant, en forme d'enclume, surplombait le Nord de Paris, du Sacré-Cœur à l'Opéra, ses flancs d'un gris sombre étaient teintés de bistre. Je reportai mes regards vers l'écran de télévision, où une foule immense continuait de s'agglutiner ; puis, à nouveau, vers le ciel. Le nuage d'orage semblait se déplacer lentement vers le Sud ; s'il éclatait au-dessus des Tuileries, il risquait de perturber sérieusement le déroulement de la manifestation.

À quatorze heures précises, le cortège, emmené par Marine Le Pen, s'engagea sur les Champs-Élysées en direction de l'Arc de Triomphe, où elle avait prévu de prononcer un discours à quinze heures. Je coupai le son, mais continuai un moment à regarder l'image. Une immense banderole barrait toute la largeur de l'avenue, portant l'inscription : « Nous sommes le peuple de France ». Sur de nombreux petits panneaux disséminés dans la foule était écrit, plus simplement : « Nous sommes chez nous » – c'était devenu le slogan, à la fois explicite et dénué d'agressivité exagérée, utilisé par les militants nationaux au cours de leurs rassemblements. L'orage menaçait toujours ; l'énorme nuage était maintenant suspendu, immobile, au-dessus du cortège. Au bout de quelques minutes je me lassai, et me replongeai dans *En rade*.

Marie-Françoise me rappela un peu après dix-huit heures ; elle ne savait pas grand-chose, le Conseil national des universités s'était réuni la veille, mais aucune information n'avait filtré. Elle était certaine en tout cas que la fac ne rouvrirait pas avant la fin des élections, et probablement pas avant la rentrée – les examens pouvaient très bien être reportés au mois de septembre. Plus généralement, la situation lui paraissait sérieuse ; son mari était visiblement inquiet, depuis le début de la semaine il passait quatorze heures par jour à son bureau de la DGSI, et il y avait dormi la veille. Elle raccrocha en promettant de me rappeler si elle en apprenait davantage.

Je n'avais plus rien à manger, ni très envie d'aller au Géant Casino, le début de soirée était une mauvaise heure pour faire les courses dans ce quartier populeux, mais j'avais faim et plus encore j'avais envie d'acheter à manger, de la blanquette de veau, du colin au cerfeuil, de la moussaka berbère ; les plats pour micro-ondes, fiables dans leur insipidité, mais à l'emballage coloré et joyeux, représentaient quand même un vrai progrès par rapport aux désolantes tribulations des héros de Huysmans ; aucune malveillance ne pouvait s'y lire, et l'impression de participer à une expérience collective décevante, mais égalitaire, pouvait ouvrir le chemin d'une résignation partielle.

Curieusement le supermarché était presque vide, et je remplis mon caddie très vite, dans un élan d'enthousiasme mêlé de peur ; le mot de « couvre-feu », sans raison précise, me traversa l'esprit. Certaines des caissières alignées derrière leurs caisses désertées écoutaient leurs transistors : la manifestation se poursuivait, on ne déplorait pour l'instant aucun incident. Cela viendrait plus tard, après la dispersion, me dis-je.

La pluie éclata, très violente, au moment où je sortais du centre commercial. De retour chez moi je me fis réchauffer une langue de bœuf sauce madère, caoutchouteuse mais correcte, et je rallumai la télévision : les affrontements avaient commencé, on distinguait des groupes d'hommes masqués, très mobiles, armés de fusils d'assaut et de pistolets-mitrailleurs ; quelques vitrines étaient brisées, des voitures brûlaient çà et là, mais les images, prises sous une pluie battante, étaient de très mauvaise qualité, il était impossible de se faire une idée claire des forces en présence.

III

Dimanche 29 mai.

Je me réveillai vers quatre heures du matin,
lucide, l'esprit aux aguets ; je pris le temps de
faire soigneusement ma valise, de réunir les
éléments d'une pharmacie portative, des vêtements de rechange pour un mois ; je retrouvai même des chaussures de marche – des
chaussures américaines très high-tech que je
n'avais jamais utilisées, que j'avais achetées un
an auparavant en m'imaginant que j'allais me
lancer dans la randonnée pédestre. J'empor-
tai également mon ordinateur portable, une
réserve de barres protéinées, une bouilloire
électrique, du café soluble. À cinq heures et
demie, j'étais prêt à partir. Ma voiture démarra
sans difficulté, les portes de Paris étaient vides ;
à six heures, j'approchais déjà de Rambouillet.
Je n'avais aucun projet, aucune destination précise ; juste la sensation, très vague, que j'avais
intérêt à me diriger vers le Sud-Ouest ; que, si
une guerre civile devait éclater en France, elle
mettrait davantage de temps à atteindre le Sud-
Ouest. Je ne connaissais à vrai dire à peu près

rien du Sud-Ouest, sinon que c'est une région où l'on mange du confit de canard ; et le confit de canard me paraissait peu compatible avec la guerre civile. Enfin, je pouvais me tromper.

Je connaissais peu la France, en général. Après une enfance et une adolescence passées à Maisons-Laffitte, banlieue bourgeoise par excellence, je m'étais installé à Paris, et je n'en étais jamais reparti ; je n'avais jamais vraiment visité ce pays dont j'étais, de manière un peu théorique, citoyen. J'avais eu des velléités de le faire, comme en témoignait l'achat de ce Volkswagen Touareg, contemporain de celui des chaussures de randonnée. C'était un véhicule puissant, doté d'un moteur V8 diesel de 4,2 litres à injection directe *common rail* qui lui permettait de dépasser les 240 km/h ; taillé pour les longs parcours autoroutiers, il pouvait aussi se prévaloir de réelles aptitudes au franchissement. J'avais dû à l'époque imaginer des week-ends, des escapades sur les chemins forestiers ; mais rien de tout cela ne s'était finalement produit, je m'étais contenté, les dimanches, d'être un client régulier du marché du livre ancien qui se tenait parc Georges-Brassens. Parfois, aussi, heureusement, j'avais consacré mes dimanches à baiser – principalement avec Myriam. Ma vie aurait été bien plate et bien morne si je n'avais pas, au moins de temps à autre, baisé avec Myriam. Je m'arrêtai au relais des Mille Étangs, immédiatement après la sortie de Châteauroux ; j'achetai un cookie double chocolat et un grand café à La Croissanterie, puis je remontai au volant de ma voiture pour prendre ce petit déjeuner en songeant à mon passé, ou à rien. Le parking dominait la campagne environnante, déserte à l'exception de quelques vaches – de race probablement charolaise. Le jour était largement levé, maintenant, mais des bancs de brume flottaient encore sur les prairies en contrebas. Le paysage était vallonné, plutôt beau, mais on ne distinguait aucun étang – ni, du reste, aucune rivière. L'avenir, il me paraissait imprudent d'y songer.

J'allumai mon autoradio : les opérations électorales avaient commencé, et se déroulaient normalement, François Hollande avait déjà voté dans son « fief corrézien ». Le taux de participation, pour autant qu'on puisse en juger à une heure aussi matinale, était élevé, plus élevé que lors des deux précédentes consultations présidentielles. Certains analystes politiques considéraient qu'un taux de participation élevé favorisait les « partis de gouvernement » au détriment des partis extrêmes ; mais d'autres, tout aussi réputés, pensaient exactement l'inverse. En somme, on ne pouvait pour l'instant tirer aucune conclusion du taux de participation, et il était un peu tôt pour écouter la radio ; je l'éteignis avant de quitter le parking.

Peu après être reparti je pris conscience que ma jauge de carburant était basse, à peu près ¼ ; j'aurais dû faire le plein à la station. Je me rendis compte, aussi, que l'autoroute était inhabituellement déserte. Le dimanche matin il n'y a jamais grand monde sur l'autoroute, c'est le moment où la société respire, se décongestionne, où ses membres se donnent la brève illusion d'une existence individuelle. Mais, quand même, cela faisait peut-être cent kilomètres que je n'avais ni dépassé, ni croisé une autre voiture ; j'avais juste évité un poids lourd bulgare qui zigzaguait, ivre de fatigue, entre la file de droite et la bande d'arrêt d'urgence. Tout était calme, je longeais des manches à air bicolores agitées par un vent léger ; le soleil brillait sur les prairies et les bois comme un bon employé fidèle. Je rallumai la radio, mais cette fois en vain : toutes les stations préprogrammées sur mon appareil, de France Info à Europe 1 en passant par Radio Monte-Carlo et RTL, n'émettaient qu'un bourdonnement confus de parasites. Quelque chose était en train de se passer en France, j'en avais la certitude ; je pouvais cependant continuer à traverser, à 200 km/h, le réseau autoroutier hexagonal, et c'était peut-être la bonne solution, plus rien ne semblait marcher dans ce pays, les radars étaient peut-être eux aussi en panne, en continuant à cette allure je serais vers seize heures au poste frontière du Jonquet, une fois en Espagne la situation serait différente, et la guerre civile un peu plus éloignée, c'était une chose à tenter. Sauf que je n'avais plus d'essence : oui, ça c'était le problème à résoudre, de toute urgence, il allait falloir que je m'en occupe dès la prochaine station.

Ce serait celle de Pech-Montat. Elle n'avait rien de très engageant, sur les panneaux d'information : ni restauration ni produits régionaux, une station janséniste, dédiée au carburant

134

pur ; mais je ne pouvais pas attendre le *Jardin des Causses du Lot*, situé cinquante kilomètres en aval. Je me repris en songeant que je pouvais faire un arrêt ravitaillement à Pech-Montat, suivi d'un arrêt plaisir aux Causses du Lot, où j'achèterais du foie gras, du cabécou, du Cahors, que je dégusterais le soir même dans ma chambre d'hôtel sur la Costa Brava ; c'était un projet complet, qui faisait sens, un projet réalisable.

L'aire de parking était déserte, et je me rendis tout de suite compte que quelque chose n'allait pas ; je ralentis au maximum avant de rouler, très prudemment, jusqu'à la station-service. La vitrine avait explosé, des myriades de bouts de verre recouvraient le bitume. Je sortis de ma voiture, m'approchai : à l'intérieur de la boutique, la vitrine contenant les boissons fraîches avait elle aussi été fracassée, et les présentoirs de journaux étaient renversés. Je découvris la caissière gisant sur le sol dans une mare de sang, ses bras serrés sur sa poitrine dans un dérisoire geste de protection. Le silence était total. Je me dirigeai vers les pompes à essence, mais leur fonctionnement était bloqué. Elles devaient pouvoir être remises en marche à partir des caisses. Je revins vers la boutique, enjambai le cadavre à contrecœur, mais ne découvris aucun mécanisme paraissant commander la distribution de carburant. Après une brève hésitation, je pris dans les rayonnages un sandwich thon-crudités, une bière sans alcool et le guide Michelin.

Parmi les hôtels qu'il conseillait dans la région, le plus proche, le *Relais du Haut-Quercy*, était situé à Martel ; il me suffisait de suivre la D 840 sur une dizaine de kilomètres. En redémarrant en direction de la sortie, il me sembla apercevoir deux corps étendus près du parking poids lourds. Je redescendis, m'approchai : en effet deux jeunes Maghrébins, vêtus de l'uniforme typique des banlieues, avaient été abattus ; ils avaient perdu très peu de sang, mais ils étaient indiscutablement morts ; l'un d'entre eux tenait encore un pistolet-mitrailleur à la main. Qu'est-ce qui avait bien pu se passer ici ? À tout hasard je tentai à nouveau de capter une station de radio, mais je n'obtins, cette fois encore, qu'un grésillement indistinct de parasites.

J'atteignis Martel sans encombre un quart d'heure plus tard, la départementale traversait un paysage riant, boisé. Je n'avais toujours croisé aucune autre voiture, et je commençais réellement à m'interroger ; puis je me dis que les gens se cloîtraient sans doute chez eux exactement pour les mêmes raisons qui m'avaient poussé à quitter Paris : l'intuition d'une catastrophe imminente.

Le *Relais du Haut-Quercy* était une grande bâtisse de calcaire blanc, à deux étages, située un peu à l'écart du village. La grille s'ouvrit avec un léger grincement, je traversai un terre-plein recouvert de gravier, montai quelques marches jusqu'à la réception. Il n'y avait personne. Derrière le bureau, les clefs des chambres étaient accrochées à un tableau ; il n'en manquait aucune. J'appelai à plusieurs reprises, de plus en plus fort, sans obtenir de réponse. Je ressortis : l'arrière du bâtiment était occupé par une terrasse entourée de massifs de roses, avec des petites tables rondes et des chaises métalliques ouvragées, qui devait être utilisée pour les petits déjeuners. Je suivis une allée bordée de châtaigniers pendant une cinquantaine de mètres avant d'aboutir à une esplanade herbeuse qui dominait la campagne environnante, où des transats et des parasols attendaient d'hypothétiques clients. Pendant quelques minutes je contemplai le paysage, vallonné et paisible, avant de revenir vers l'hôtel. Au moment où je débouchais sur la terrasse une femme en sortit, une blonde d'une quarantaine d'années, vêtue d'une longue robe de lainage gris, aux cheveux réunis en bandeau ; elle sursauta en m'apercevant. « Le restaurant est fermé » lança-t-elle, sur la défensive. Je lui dis que je cherchais uniquement une chambre. « On ne fait pas non plus les petits déjeuners » précisa-t-elle encore avant de convenir, visiblement à contrecœur, qu'elle avait une chambre.

Elle m'accompagna jusqu'au premier étage, ouvrit une porte et me tendit un bout de papier minuscule : « La grille ferme à vingt-deux heures, si vous rentrez après vous aurez besoin du code » dit-elle avant de s'éloigner sans ajouter un mot supplémentaire.

Une fois les volets ouverts la chambre n'était pas si déplaisante, à part le papier peint, dont les motifs, d'un magenta terne, représentaient des scènes de chasse. J'essayai en vain de regarder la télévision : il n'y avait de signal sur aucune chaîne, juste un fourmillement indéfini de pixels. Internet ne marchait pas davantage : il y avait plusieurs réseaux dont le nom commençait par Bbox ou SFR – probablement ceux des habitants du village – mais aucun n'évoquait le *Relais du Haut-Quercy*. Une feuille d'informations clients que je découvris dans un tiroir donnait des détails sur les curiosités touristiques du village, il y avait aussi des indications sur la gastronomie quercynoise ; mais rien au sujet d'Internet. Rester connecté n'était manifestement pas la préoccupation majeure des clients de l'établissement.

Après avoir rangé mes affaires, suspendu les quelques vêtements que j'avais emportés sur des cintres, branché ma bouilloire et ma brosse à dents électrique, allumé mon téléphone portable pour constater que je n'avais aucun message, je commençai à me demander ce que je faisais là. Cette question très générale, n'importe quel homme peut se la poser, à n'importe quel endroit, à n'importe quel moment de sa vie ; mais le voyageur solitaire y est, il faut le reconnaître, particulièrement exposé. Si Myriam avait été à mes côtés je n'aurais pas davantage eu de raisons, à vrai dire, d'être à Martel ; mais la question ne se serait simplement pas posée. Un couple est un monde, un monde autonome et clos qui se déplace au milieu d'un monde plus vaste, sans en être réellement atteint ; solitaire, j'étais traversé de failles, et il me fallut un certain courage pour, rangeant la feuille d'informations dans une poche de mon blouson, ressortir visiter le village.

Le centre de la place des Consuls était occupé par une halle à grains, manifestement ancienne, je ne connaissais à peu près rien à l'architecture mais les maisons qui la bordaient, construites dans une belle pierre blonde, avaient de toute évidence plusieurs siècles, j'avais déjà vu des choses de ce genre à la télévision, en général dans des émissions présentées par Stéphane Bern, et c'était aussi bien qu'à la télévision, mieux même, l'une des maisons était très grande, un palais presque, avec des arcades en ogive et des tourelles, en m'approchant je constatai qu'en effet l'hôtel de la Raymondie avait été bâti entre 1280 et 1350, et qu'il appartenait à l'origine aux vicomtes de Turenne.

Le reste du village était à l'avenant, et je suivis des ruelles pittoresques et désertes jusqu'à arriver à l'église Saint-Maur, massive, presque dépourvue de fenêtres ; il s'agissait d'une église fortifiée, construite pour résister aux assauts des infidèles, comme il y en avait beaucoup dans la région, m'apprit la feuille d'informations.

La D 840 qui traversait le village continuait en direction de Rocamadour. J'avais déjà entendu parler de Rocamadour, c'était une destination touristique connue, avec beaucoup d'étoiles au guide Michelin, je me demandais même si je n'avais pas déjà *vu* Rocamadour, dans une émission de Stéphane Bern, mais c'était quand même à vingt kilomètres, j'optai pour une départementale plus petite et plus sinueuse, qui conduisait à Saint-Denis-les-Martel. Cent mètres plus loin je tombai sur une minuscule guérite de bois peint, qui proposait des billets pour un train touristique à vapeur longeant la vallée de la Dordogne. Cela paraissait intéressant ; il aurait été quand même mieux d'être en couple, me répétai-je avec une délectation sombre ; de toute façon, il n'y avait personne dans la guérite. Myriam était arrivée à Tel-Aviv depuis quelques jours, sans doute avait-elle eu le temps de se renseigner sur les inscriptions à la fac, elle avait peut-être déjà pris un dossier, ou bien elle s'était contentée d'aller à la plage, elle avait toujours aimé la plage, nous n'étions jamais partis en vacances ensemble me dis-je, je n'avais jamais été doué pour choisir une destination, pour réserver, je prétendais aimer Paris au mois d'août mais la vérité est que j'étais simplement incapable d'en sortir.

Un chemin de terre longeait la voie ferrée sur la droite. Après un kilomètre d'une ascension en pente douce au milieu d'une forêt touffue je débouchai sur un belvédère, avec une table d'orientation ; un pictogramme représentant un appareil photographique à soufflet confirmait la vocation touristique de la halte.

La Dordogne coulait en contrebas, encaissée entre des falaises calcaires d'une cinquantaine de mètres, poursuivant obscurément son destin géologique. La région était habitée depuis les temps les plus reculés de la préhistoire, appris-je sur un panneau d'information pédagogique ; l'homme de Cro-Magnon en avait progressivement chassé l'homme de Neandertal, qui s'était replié jusqu'en Espagne avant de disparaître.

Je m'assis au bord de la falaise, essayant sans grand succès de m'abîmer dans la contemplation du paysage. Au bout d'une demi-heure, je sortis mon téléphone et je composai le numéro de Myriam. Elle parut surprise, mais heureuse de m'entendre. Tout allait bien, me dit-elle, ils avaient un appartement agréable, lumineux, dans le centre-ville ; non, elle ne s'était pas encore occupée de son inscription à la fac ; et moi, comment est-ce que j'allais ? Bien, mentis-je ; elle me manquait quand même beaucoup. Je lui fis promettre de m'envoyer un très long e-mail, où elle me raconterait tout, dès que possible – avant de me souvenir que je n'avais pas de connexion Internet.

J'avais toujours détesté imiter des bruits de bisous au téléphone, jeune déjà j'avais du mal à m'y résoudre, et à quarante ans passés ça me paraissait franchement ridicule ; je m'y astreignis pourtant, mais immédiatement après avoir raccroché je me sentis envahi par une solitude terrible, et je compris que je n'aurais plus jamais le courage de rappeler Myriam, la sensation de proximité qui s'installait au téléphone était trop violente, et le vide qui s'ensuivait trop cruel.

Ma tentative pour m'intéresser aux beautés naturelles de la région était de toute évidence vouée à l'échec ; je m'obstinai pourtant encore un peu, et le soir tombait lorsque je repris la direction de Martel. Les hommes de Cro-Magnon chassaient le mammouth et le renne ; ceux d'aujourd'hui avaient le choix entre un Auchan et un Leclerc, tous deux situés à Souillac. Les seuls commerces du village étaient une boulangerie – fermée – et un café situé place des Consuls, qui semblait également fermé, aucune table n'avait été tirée sur la place. Une faible lumière, pourtant, provenait de l'intérieur, je poussai la porte et j'entrai.

Une quarantaine d'hommes, dans un silence total, suivaient un reportage de BBC News diffusé sur un téléviseur placé en hauteur dans le fond de la salle. Personne ne réagit à mon arrivée. C'étaient visiblement des habitants du cru, presque tous des retraités, les autres donnaient l'impression d'être des travailleurs manuels. Cela faisait longtemps que je n'avais pas eu l'occasion de parler anglais, le commentateur avait un débit trop rapide et je n'y comprenais pas grand-chose ; les autres spectateurs n'avaient pas l'air plus avancés que moi, à vrai dire. Les images, prises dans des localités très variées – Mulhouse, Trappes, Stains, Aurillac – ne présentaient aucun intérêt apparent : des salles polyvalentes, des écoles maternelles, des gymnases déserts. Il me fallut attendre l'intervention de Manuel Valls – filmé sur le perron de l'hôtel Matignon, blafard sous un éclairage trop violent – pour reconstituer le déroulement des faits : une vingtaine de bureaux de vote, dans toute la France, avaient été pris d'assaut par des bandes armées en début d'après-midi. On ne déplorait aucune victime, mais des urnes avaient été dérobées ; ces actions n'avaient pour l'instant pas été revendiquées. Dans ces conditions, le gouvernement n'avait pas d'autre choix que d'interrompre le processus électoral. Une réunion de crise aurait lieu plus tard dans la soirée, le chef du gouvernement annoncerait des mesures appropriées ; force resterait, concluait-il assez platement, à la loi de la République.

Lundi 30 mai.

Je m'éveillai vers six heures du matin pour constater que la télévision fonctionnait de nouveau : la réception d'iTélé était mauvaise, mais celle de BFM tout à fait correcte ; tous les programmes étaient bien entendu consacrés aux événements de la veille. Les commentateurs soulignaient l'extrême fragilité du processus démocratique ; car le code électoral était formel : il suffisait que les résultats d'un seul bureau de vote, dans toute la France, soient rendus indisponibles, pour que l'élection entière soit invalidée. Ils soulignaient également que c'était la première fois qu'un groupuscule avait l'idée d'exploiter cette faiblesse. Tard dans la nuit, le premier ministre avait annoncé que de nouvelles élections seraient organisées dès le dimanche suivant ; mais, que, cette fois, l'ensemble des bureaux de vote seraient placés sous la protection de l'armée.

Sur la question des conséquences politiques de ces événements, les commentateurs étaient, cette fois, en total désaccord, et je suivis leurs arguments contradictoires pendant une bonne partie de la matinée avant de descendre dans le parc, un livre à la main. Les conflits politiques n'avaient pas manqué à l'époque de Huysmans : il y avait eu les premiers attentats anarchistes ; il y avait eu, aussi, la politique anticléricale menée par le gouvernement du « petit père Combes », dont la violence paraissait aujourd'hui inouïe, le gouvernement était allé jusqu'à ordonner la spoliation des biens ecclésiastiques et la dispersion des congrégations. Ce dernier point avait personnellement touché Huysmans, l'obligeant à quitter l'abbaye de Ligugé où il avait trouvé refuge ; cela ne tenait pourtant qu'une place minime dans son œuvre, les questions politiques dans leur ensemble semblaient l'avoir laissé tout à fait indifférent.

J'aimais depuis toujours ce chapitre d'*À rebours* dans lequel des Esseintes, après avoir projeté un voyage à Londres inspiré par une relecture de Dickens, se retrouve coincé dans une taverne de la rue d'Amsterdam, incapable de s'arracher de sa table. « Une immense aversion pour le voyage, un impérieux besoin de rester tranquille s'imposaient... » Au moins aurai-je réussi à quitter Paris, au moins aurai-je atteint le Lot, me dis-je en contemplant les branches des châtaigniers doucement agitées par la brise. Je savais que j'avais fait le plus difficile : un voyageur solitaire suscite d'abord la méfiance, voire l'hostilité, mais peu à peu les gens s'habituent, les hôteliers comme les restaurateurs, ils se disent qu'ils n'ont finalement affaire qu'à un original somme toute inoffensif.

En effet, lorsque je revins dans ma chambre en début d'après-midi, la gérante de l'hôtel me salua avec une relative chaleur, et m'apprit que le restaurant rouvrirait le soir même. Il y avait de nouveaux clients, un couple anglais d'une soixantaine d'années, le mari avait l'air d'un intellectuel, voire d'un universitaire, c'était le genre à visiter impitoyablement les chapelles les plus reculées, incollable sur l'art roman quercynois et sur l'influence de l'école de Moissac, on n'avait pas de problèmes avec ces gens-là.

Aussi bien iTélé que BFM revenaient sur les conséquences politiques du report du second tour de la présidentielle. Le bureau politique du Parti socialiste était en réunion, le bureau politique de la Fraternité musulmane était en réunion ; même le bureau politique de l'UMP avait jugé bon de se réunir. Les journalistes, multipliant les duplex entre la rue de Solférino, la rue de Vaugirard et le boulevard Malesherbes, parvenaient assez correctement à dissimuler le fait qu'ils ne disposaient d'aucune information réelle.

Je ressortis vers dix-sept heures : la vie semblait peu à peu revenir dans le village, la boulangerie était ouverte, des passants traversaient la place des Consuls ; ils ressemblaient à peu près à ce que j'aurais pu m'imaginer si j'avais voulu me représenter les habitants d'un petit village du Lot. Au café des Sports l'affluence était faible, et la curiosité pour l'actualité politique semblait s'être éteinte, le téléviseur dans le fond de la salle était réglé sur Télé Monte-

Carlo. Je venais de terminer ma bière lorsqu'il me sembla reconnaître une voix. Je me retournai : Alain Tanneur, à la caisse, était en train de payer une boîte de cigarillos Café Crème ; il tenait sous le bras un sac de la boulangerie, dont dépassait un pain de campagne. L'époux de Marie-Françoise se retourna à son tour ; son visage s'arrondit dans une mimique de surprise.

Plus tard, devant une autre bière, je lui expliquai que j'étais là par hasard, et lui racontai ce que j'avais vu à la station de Pech-Montat. Il m'écouta avec attention, sans manifester de réelle surprise. « Je m'en doutais... » dit-il une fois que j'eus terminé mon récit. « Je me doutais qu'en plus des attaques de bureaux de vote il y avait eu des affrontements, dont les médias n'avaient pas parlé ; et il y en a sûrement eu beaucoup d'autres en France... »

Sa propre présence à Martel ne devait rien au hasard : il y possédait une maison, qui appartenait auparavant à ses parents, c'était un enfant du pays, et c'est à Martel qu'il comptait prendre sa retraite, très prochainement maintenant. Si le candidat musulman passait Marie-Françoise était certaine de ne pas retrouver sa chaire, aucun poste d'enseignement ne pourrait être occupé par une femme dans une université islamique, c'était une impossibilité totale. Et lui, son poste à la DGSI ? « J'ai été mis à pied », me dit-il avec une colère rentrée.

« J'ai été mis à pied vendredi matin, moi et toute mon équipe », poursuivit-il. « Ça s'est passé très vite, ils nous ont laissé deux heures pour libérer nos bureaux.

— Et vous savez pourquoi ?

— Oh oui ! Oh oui, je sais pourquoi… Dans la journée de jeudi j'avais adressé un rapport à ma hiérarchie, qui les avertissait que des incidents risquaient de se produire en différents points du territoire ; des incidents ayant pour but d'empêcher la tenue normale des élections. Ils n'ont tout simplement rien fait ; et j'ai été mis à pied le lendemain. » Il me laissa le temps de digérer l'information avant de conclure : « Alors ?… Alors, quelles conclusions peut-on en tirer, à votre avis ?

— Vous voulez dire que le gouvernement *souhaitait* que le processus électoral soit interrompu ? »

Il hocha lentement la tête. « Je ne pourrais pas le prouver devant une commission d'enquête… Parce que mon rapport n'était pas extrêmement précis. Par exemple j'étais persuadé, en recoupant les mémos de mes informateurs, que quelque chose allait se passer à Mulhouse, ou dans son agglomération ; mais je ne pouvais absolument pas dire si ce serait dans le bureau de vote de Mulhouse 2, Mulhouse 5, Mulhouse 8… les protéger tous aurait demandé le déploiement de moyens importants ; et c'était la même chose pour tous les points menacés. Mes supérieurs pourraient parfaitement arguer que ce n'aurait pas été la première fois que la DGSI se serait montrée exagérément alarmiste ; en bref, qu'ils avaient couru un risque admissible. Mais ma conviction, je vous le répète, est sensiblement différente…

— Vous connaissez l'origine de ces actions ?

— C'est exactement celle que vous pouvez imaginer.

— Les identitaires ?

— Les identitaires, oui, pour une part. Et, aussi, de jeunes musulmans djihadistes ; pour une part à peu près égale, d'ailleurs.

— Et vous pensez qu'ils ont des liens avec la Fraternité musulmane ?

— Non. » Il secoua la tête avec fermeté. « J'ai passé quinze ans de ma vie à enquêter sur le sujet ; jamais on n'a pu établir la moindre connexion, le moindre contact. Les djihadistes sont des salafistes dévoyés, qui recourent à la violence au lieu de faire confiance à la prédication, mais ils restent des salafistes, et pour eux la France est terre d'impiété, *dar al koufr* ; pour la Fraternité musulmane, au contraire, la France fait déjà potentiellement partie du *dar al islam*. Mais surtout pour les salafistes toute autorité vient de Dieu, le principe même de la représentation populaire est impie, jamais ils ne songeraient à fonder ni à soutenir un parti politique. Cela dit, même s'ils sont fascinés par le djihad mondial, les jeunes extrémistes musulmans souhaitent au fond la victoire de Ben Abbes ; ils n'y croient pas, ils pensent que le djihad est la seule voie, mais ils n'essaieront pas de l'empêcher. Et c'est exactement la même chose en ce qui concerne le Front national et les identitaires. Pour les identitaires, la seule vraie voie, c'est la guerre civile ; mais certains ont été proches du Front national avant de se radicaliser, et ils ne feront rien qui puisse lui nuire. Depuis leur création, le Front national comme la Fraternité musulmane ont choisi la voie des urnes ; ils ont fait ce pari qu'ils pouvaient arriver au pouvoir en respectant les règles du jeu démocratique. Ce qui est curieux... et même amusant si l'on veut, c'est qu'il y a quelques jours, les identitaires européens comme les musulmans djihadistes se sont persuadés, chacun de leur côté, que le parti adverse allait l'emporter – qu'ils n'avaient pas d'autre choix que d'interrompre le processus électoral en cours.

— Et, d'après vous, qui avait raison ?

— Ça, je n'en sais absolument rien. » Pour la première fois il se détendit, sourit franchement. « Il y a une espèce de légende, qui remonte aux anciens Renseignements généraux, qui veut que nous ayons accès à des sondages confidentiels, jamais publiés. C'est un peu un enfantillage... Mais c'est un peu vrai, aussi, cette tradition s'est dans une certaine mesure maintenue. Eh bien, en l'occurrence, les sondages secrets donnaient exactement les mêmes prévisions que les sondages officiels : du 50-50, jusqu'au bout, à quelques dixièmes de point près... »

Je commandai deux autres bières. « Il faudra que vous veniez dîner à la maison » dit Tanneur, « Marie-Françoise sera contente de vous voir. Je sais que ça l'ennuie beaucoup de quitter son poste à l'université. Moi ça m'est un peu égal, je devais partir à la retraite dans deux ans, de toute façon... Évidemment, ça se termine d'une manière un peu déplaisante ; mais je vais toucher l'intégralité de ma pension, c'est certain, et sans doute une gratification exceptionnelle, je pense qu'ils vont faire le maximum pour éviter que je ne leur pose des problèmes. »

Le serveur apporta nos bières, une coupelle d'olives ; il y avait plus de monde maintenant dans le café, des gens qui parlaient fort, ils se connaissaient visiblement tous, et certains saluaient Tanneur en passant près de notre table. Je grignotai deux olives, hésitant : il y avait quelque chose qui m'échappait, quand même, dans la succession des événements ; après tout je pouvais lui en parler, il avait peut-être une idée sur la question, il semblait avoir des idées sur beaucoup de choses ; je regrettais de n'avoir prêté jusqu'à présent qu'une attention anecdotique, superficielle, à la vie politique.

« Ce que je ne comprends pas... » dis-je après une gorgée de bière, « c'est ce qu'espéraient les gens qui ont pris d'assaut les bureaux de vote. Parce que de toute façon les élections vont avoir lieu, dans une semaine, sous la protection de l'armée ; et le rapport de forces n'a pas changé, le résultat restera tout aussi incertain. À moins peut-être qu'on ne parvienne à établir que les responsables des incidents sont les identitaires, auquel cas la Fraternité musulmane en bénéficierait ; ou au contraire les musulmans, et ça profiterait au Front national.

— Non, ça je peux vous le dire avec certitude : il sera impossible de prouver quoi que ce soit, dans un sens comme dans l'autre ; et personne n'essaiera. Par contre il va se passer des choses sur le plan politique, sans doute très vite, probablement dès demain. Une première hypothèse, c'est que l'UMP se décide à conclure une alliance électorale avec le Front national. L'UMP si on veut ce n'est plus grand-chose, ils sont en chute libre ; mais ça reste suffisant pour faire pencher la balance, et pour emporter la décision.

— Je ne sais pas, je n'y crois pas beaucoup ; il me semble que si ça devait se faire ça se serait déjà fait, depuis pas mal d'années.

— Vous avez tout à fait raison !... » s'exclama-t-il avec un grand sourire. « Au début, le Front national était prêt à tout pour conclure une alliance avec l'UMP, pour se rallier à une majorité de gouvernement ; et puis peu à peu il s'est mis à grandir, à croître dans les sondages ; alors, l'UMP a commencé à prendre peur. Pas de leur populisme, ni de leur fascisme supposé – les dirigeants de l'UMP ne verraient aucun inconvénient à prendre quelques mesures sécuritaires ou xénophobes, qui sont de toute façon massivement souhaitées par leur électorat, enfin ce qu'il en reste ; mais, dans les faits, l'UMP est maintenant de très loin le parti le plus faible de l'alliance ; et ils ont peur, s'ils concluent un accord, d'être simplement annihilés, absorbés par leur partenaire. En plus il y a l'Europe, et c'est le point fondamental. Le véritable agenda de l'UMP, comme celui du PS, c'est la disparition de la France, son intégration dans un ensemble fédéral européen. Ses électeurs, évidemment, n'approuvent pas cet objectif ; mais les dirigeants parviennent, depuis des années, à passer le sujet sous silence. S'ils concluaient une alliance avec un parti ouvertement anti-européen, ils ne pourraient pas persévérer dans cette attitude ; et l'alliance ne tarderait pas à voler en éclats. C'est pour ça que je crois davantage à une seconde hypothèse : la création d'un front républicain, où l'UMP se rallierait, comme le PS, à la candidature Ben Abbes – sous réserve bien entendu d'une participation suffisante au gouvernement, et d'accords pour les prochaines législatives.

— Ça me paraît difficile aussi ; enfin, très surprenant.

— Vous avez, encore une fois, raison !... » Il sourit à nouveau, se frotta les mains, tout cela l'amusait visiblement beaucoup. « Mais c'est difficile pour une autre raison : c'est difficile *parce que* c'est surprenant ; parce que ça ne s'est jamais vu, depuis la Libération tout du moins. Cela fait si longtemps que l'opposition gauche – droite structure le jeu politique qu'il nous paraît impossible d'en sortir. Pourtant, dans le fond, il n'y a aucune difficulté réelle ; ce qui sépare l'UMP de la Fraternité musulmane est même beaucoup moins grand que ce qui en sépare le Parti socialiste. Nous en avions parlé, je me souviens, lors de notre première rencontre : si le Parti socialiste a finalement cédé sur l'Éducation nationale, s'il est parvenu à un accord avec la Fraternité musulmane, si sa mouvance antiraciste a réussi en interne à l'emporter sur sa mouvance laïque, c'est parce qu'ils y étaient absolument acculés, qu'ils étaient au fond du trou. Les choses seront moins difficiles pour l'UMP, qui est encore plus proche de la désintégration, et qui n'a jamais accordé la moindre importance à l'éducation, le concept lui est même presque étranger. Par contre, il faut que l'UMP et le PS s'habituent à l'idée de gouverner ensemble ; et ça c'est pour eux absolument nouveau, c'est exactement l'inverse de tout ce qui structure leurs prises de position depuis leur entrée en politique.

Il reste bien sûr une troisième possibilité, c'est qu'il ne se passe rien ; qu'aucun accord ne soit trouvé, et que le second tour se rejoue exactement sur les mêmes positions, et avec la même incertitude. C'est, en un sens, le plus probable ; mais c'est, aussi, extrêmement inquiétant. D'abord, le résultat final n'a jamais été aussi incertain dans l'histoire de la Ve République ; ensuite et surtout, aucune des deux formations qui restent en présence n'a la moindre expérience des responsabilités gouvernementales, sur le plan national ni même local ; ce sont, en matière politique, de parfaits amateurs. »

Il termina sa bière, me regarda de son œil pétillant d'intelligence. En dessous de sa veste prince-de-galles il portait un polo ; il était bienveillant, sans illusions et sagace ; il devait, très vraisemblablement, être abonné à *Historia* ; j'imaginais très bien une collection d'*Historia* reliés, dans une bibliothèque près de la cheminée ; avec probablement des ouvrages plus pointus, genre dessous de la Françafrique, ou histoire des services secrets depuis la Seconde guerre mondiale ; sans doute avait-il déjà été interrogé par les auteurs de ces ouvrages, ou le serait-il prochainement, dans sa retraite quercynoise ; il devrait garder le silence sur certains sujets, se sentirait autorisé à s'exprimer sur d'autres.

« Alors, c'est d'accord pour demain soir ? » demanda-t-il après avoir fait signe au serveur pour payer. « Je passerai vous prendre à votre hôtel ; Marie-Françoise sera ravie, vraiment. »

Le soir tombait sur la place des Consuls, et le soleil couchant teintait la pierre blonde de lueurs fauves ; nous étions face à l'hôtel de la Raymondie.

« C'est un village ancien, n'est-ce pas ? » lui demandai-je.

— Très ancien. Et son nom de Martel ne lui a pas été donné par hasard... Tout le monde sait que Charles Martel a battu les Arabes à Poitiers en 732, donnant un coup d'arrêt à l'expansion musulmane vers le Nord. C'est en effet une bataille décisive, qui marque le vrai début de la chrétienté médiévale ; mais les choses n'ont pas été aussi nettes, les envahisseurs ne se sont pas repliés immédiatement, et Charles Martel a continué de guerroyer contre eux pendant quelques années en Aquitaine. En 743 il a remporté une nouvelle victoire près d'ici, et a décidé en remerciement d'édifier une église ; elle portait son blason, trois marteaux entrecroisés. Le village s'est construit autour de cette église, qui a ensuite été détruite, puis rebâtie au XIVe siècle. C'est vrai qu'il y a eu énormément de batailles entre la chrétienté et l'islam, se battre est depuis toujours une des activités humaines majeures, la guerre est *de nature*, comme disait Napoléon. Mais je crois qu'avec l'islam le moment est maintenant venu d'un accommodement, d'une alliance. »

Je lui tendis la main pour prendre congé. Il surjouait un peu son rôle de vétéran des services secrets, vieux sage à la retraite etc, mais après tout sa mise à pied était toute récente, on comprenait qu'il lui faille du temps pour s'habituer à son nouveau personnage. J'étais ravi en tout cas d'être invité chez lui le lendemain, on pouvait déjà être certain que le porto serait de bonne qualité, et j'avais assez confiance pour le repas aussi, il n'était pas du genre à prendre la gastronomie à la légère.

« Regardez la télévision demain, suivez l'actualité politique... » me dit-il juste avant de partir. « Je suis prêt à parier qu'il va se passer quelque chose. »

Mardi 31 mai.

L'information éclata, en effet, peu après quatorze heures : l'UMP, l'UDI et le PS s'étaient entendus pour conclure un accord de gouvernement, un « front républicain élargi », et se ralliaient au candidat de la Fraternité musulmane. Surexcités, les journalistes des chaînes info se relayèrent toute l'après-midi afin d'essayer d'en savoir un peu plus sur les conditions de l'accord et la répartition des ministères, s'attirant à chaque fois la même réponse sur la vanité des considérations politiciennes, l'urgence de l'unité nationale et de panser les plaies d'un pays divisé, etc. Tout cela était parfaitement attendu, prévisible ; ce qui l'était moins, c'était le retour de François Bayrou au premier plan de la scène politique. Il avait en effet accepté un *ticket* avec Mohammed Ben Abbes : celui-ci s'était engagé à le nommer premier ministre s'il sortait victorieux de l'élection présidentielle.

Le vieux politicien béarnais, battu dans pratiquement toutes les élections auxquelles il s'était présenté depuis une trentaine d'années, s'employait à cultiver une image de *hauteur*, avec la complicité de différents magazines ; c'est-à-dire qu'il se faisait régulièrement photographier, appuyé sur un bâton de berger, vêtu d'une pèlerine à la Justin Bridou, dans un paysage mixte de prairies et de champs cultivés, en général dans le Labourd. L'image qu'il cherchait à promouvoir dans ses multiples interviews était celle, gaullienne, de *l'homme qui a dit non*.

« C'est une idée géniale, Bayrou, absolument géniale !... » s'exclama Alain Tanneur dès qu'il me vit, trépidant littéralement d'enthousiasme. « J'avoue que je n'y aurais jamais pensé ; il est vraiment très fort, ce Ben Abbes... »

Marie-Françoise m'accueillit avec un large sourire ; non seulement elle avait l'air contente de me voir, mais elle avait l'air plus généralement en pleine forme. À la voir s'affairer devant son plan de travail, vêtue d'un tablier de cuisine humoristique du genre : « N'engueulez pas la cuisinière, le patron s'en charge », on avait du mal à imaginer qu'elle assurait quelques jours plus tôt des cours de doctorat sur les circonstances tout à fait particulières dans lesquelles Balzac avait corrigé les épreuves de *Béatrix*. Elle avait préparé des tartelettes au cou de canard et aux échalotes, délicieuses. Son mari, surexcité, ouvrit coup sur coup une bouteille de Cahors et une de Sauternes, avant de se souvenir que je devais, absolument, goûter son porto. Je ne voyais pas du tout pour l'instant en quoi le retour de François Bayrou dans le champ politique pouvait être qualifié *d'idée géniale* ;

mais Tanncur n'allait pas tarder à développer son idée, j'en avais la certitude. Marie-Françoise le considérait avec bienveillance, visiblement soulagée de voir son mari prendre aussi bien sa mise à pied, se couler aussi aisément dans son nouveau rôle de *stratège en chambre* – qu'il allait pouvoir tenir avantageusement devant le maire, le médecin, le notaire, enfin tous les notables locaux, encore très présents dans ces gros bourgs de province, auprès desquels il resterait auréolé d'une carrière dans les services secrets. Leur retraite, décidément, se présentait sous les meilleurs auspices.

« Ce qui est extraordinaire chez Bayrou, ce qui le rend irremplaçable », poursuivit Tanneur avec enthousiasme, « c'est qu'il est parfaitement stupide, son projet politique s'est toujours limité à son propre désir d'accéder par n'importe quel moyen à la "magistrature suprême", comme on dit ; il n'a jamais eu, ni même feint d'avoir la moindre idée personnelle ; à ce point, c'est tout de même assez rare. Ça en fait l'homme politique idéal pour incarner la notion d'humanisme, d'autant qu'il se prend pour Henri IV, et pour un grand pacificateur du dialogue interreligieux ; il jouit d'ailleurs d'une excellente cote auprès de l'électorat catholique, que sa bêtise rassure. C'est exactement ce dont a besoin Ben Abbes, qui souhaite avant tout incarner un nouvel humanisme, présenter l'islam comme la forme achevée d'un humanisme nouveau, réunificateur, et qui est d'ailleurs parfaitement sincère lorsqu'il proclame son respect pour les trois religions du Livre. »

Marie-Françoise nous invita à passer à table ; elle avait préparé une salade de fèves accompagnée de pissenlits et de copeaux de parmesan. C'était délicieux, tellement que je perdis un instant le fil du discours de son mari. Les catholiques avaient pratiquement disparu en France, poursuivit-il, mais ils paraissaient toujours enveloppés d'une sorte de magistère moral, en tout cas Ben Abbes avait tout fait, depuis le début, pour se concilier leurs bonnes grâces : au cours de l'année précédente, il ne s'était pas rendu moins de trois fois au Vatican. Doté par le simple fait de ses origines d'une aura tiers-mondiste, il avait cependant su rassurer l'électorat conservateur. Contrairement à son ancien rival Tariq Ramadan, plombé par ses accointances trotskistes, Ben Abbes avait toujours évité de se compromettre avec la gauche anticapitaliste ; la droite libérale avait gagné la « bataille des idées », il l'avait parfaitement compris, les jeunes étaient devenus *entreprenariaux*, et le caractère indépassable de l'économie de marché était à présent unanimement admis. Mais, surtout, le véritable trait de génie du leader musulman avait été de comprendre que les élections ne se joueraient pas sur le terrain de l'économie, mais sur celui des valeurs ; et que, là aussi, la droite s'apprêtait à gagner la « bataille des idées », sans même d'ailleurs avoir à combattre. Là où Ramadan présentait la charia comme une option novatrice, voire révolutionnaire, il lui restituait sa valeur rassurante, traditionnelle – avec un parfum d'exotisme qui la rendait de surcroît désirable. Concernant la restaurtion de la famille, de la morale traditionnelle et implicitement du patriarcat, un boulevard s'ouvrait devant lui, que la droite ne pouvait pas emprunter, et le Front national pas davantage, sans se voir qualifiés de réactionnaires, voire de fascistes par les ultimes soixante-huitards, momies progressistes mourantes, sociologiquement exsangues mais réfugiés dans des citadelles médiatiques d'où ils demeuraient capables de lancer des imprécations sur le malheur des temps et *l'ambiance nauséabonde* qui se répandait dans le pays ; lui seul était à l'abri de tout danger. Tétanisée par son antiracisme constitutif, la gauche avait été depuis le début incapable de le combattre, et même de le mentionner.

Marie-Françoise nous servit ensuite des souris d'agneau confites accompagnées de pommes de terre sautées, et je commençais à perdre pied. « C'est tout de même un musulman... » objectai-je confusément.

« Oui ! Et alors ?... » Il me considérait, rayonnant. « C'est un musulman *modéré*, voilà le point central : il l'affirme constamment, et c'est la vérité. Il ne faut pas se le représenter comme un taliban ni comme un terroriste, ce serait une grossière erreur ; il n'a jamais eu que mépris pour ces gens. Lorsqu'il en parle dans les tribunes libres qu'il a publiées dans *Le Monde*, au-delà de la réprobation morale affichée, on distingue très bien cette nuance de mépris ; au fond, il considère les terroristes comme des *amateurs*. Ben Abbes est en réalité un homme politique extrêmement habile, sans doute le plus habile et le plus retors que nous ayons connu en France depuis François Mitterrand ; et, contrairement à Mitterrand, il a une vraie vision historique.

— Bref, vous pensez que les catholiques n'ont rien à craindre.

— Non seulement ils n'ont rien à craindre, mais ils ont beaucoup à espérer ! Vous savez... », il eut un sourire d'excuse, « cela fait dix ans que je me penche sur le cas de Ben Abbes, je peux dire sans exagération que je suis une des personnes en France qui le connaît le mieux. J'ai consacré pratiquement toute ma carrière à la surveillance des mouvements islamistes. La première affaire sur laquelle j'ai travaillé – j'étais tout jeune à l'époque, j'étais encore élève à Saint-Cyr-au-Mont-d'Or – c'était les attentats de 1986 à Paris, dont on a finalement découvert qu'ils étaient commandités par le Hezbollah, et indirectement par l'Iran. Ensuite il y a eu les Algériens, les Kosovars, les mouvances plus directement liées à al Qaida, les loups solitaires... ça n'a jamais cessé, sous des formes diverses. Forcément, quand la Fraternité musulmane s'est créée, ils étaient dans notre collimateur. Il nous a fallu des années pour nous convaincre que si Ben Abbes avait bel et bien un projet, et même un projet extrêmement ambitieux, celui-ci n'avait rien à voir avec le fondamentalisme islamique. L'idée s'est répandue dans les cercles de l'ultra-droite que lorsque les musulmans arriveraient au pouvoir les chrétiens seraient nécessairement réduits à un statut de *dhimmis*, de citoyens de seconde zone. La dhimmitude fait en effet partie des principes généraux de l'islam ; mais, dans la pratique, le statut de dhimmi est extrêmement flexible. L'Islam a une extension géographique énorme ; la manière dont il se pratique en Arabie saoudite n'a rien à voir avec ce qu'on rencontre en Indonésie, ou au Maroc. En ce qui concerne la France, je suis absolument persuadé – je suis prêt à prendre le pari – que non seulement aucune entrave ne sera apportée au culte chrétien, mais que les subventions allouées aux associations catholiques et à l'entretien des bâtiments religieux seront augmentées – ils peuvent se le permettre, celles allouées aux mosquées par les pétromonarchies seront de toute façon bien plus considérables. Et, surtout, le véritable ennemi des musulmans, ce qu'ils craignent et haïssent par-dessus tout, ce n'est pas le catholicisme : c'est le sécularisme, la laïcité, le matérialisme athée. Pour eux les catholiques sont des croyants, le catholicisme est une religion du Livre ; il s'agit seulement de les convaincre de faire un pas de plus, de se convertir à l'islam : voilà la vraie vision musulmane de la chrétienté, la vision originelle.

— Et les Juifs ? » Ça m'avait échappé, je n'avais pas prévu de poser la question. L'image de Myriam sur mon lit, en tee-shirt, le dernier matin, l'image de ses petites fesses rondes me traversa brièvement l'esprit ; je me resservis un grand verre de Cahors.

« Ah... » Il sourit de nouveau. « Pour les Juifs, c'est évidemment un peu plus compliqué. En principe la théorie est la même, le judaïsme est une religion du Livre, Abraham et Moïse sont reconnus comme des prophètes de l'islam ; il reste qu'en pratique, dans les pays musulmans, les relations avec les Juifs ont souvent été plus difficiles qu'avec les chrétiens ; et puis, bien sûr, la question palestinienne a tout envenimé. Il y a donc certaines mouvances minoritaires au sein de la Fraternité musulmane qui souhaiteraient exercer des mesures de rétorsion à l'encontre des Juifs ; mais je crois, là aussi, qu'elles n'ont aucune chance de l'emporter. Ben Abbes a toujours veillé à entretenir de bonnes relations avec le grand rabbin de France ; peut-être laissera-t-il quand même, de temps en temps, un peu la bride sur le cou à ses extrémistes ; parce que s'il pense réellement obtenir des conversions massives chez les chrétiens – et rien ne prouve que ce soit impossible – il se fait sans doute très peu d'illusions en ce qui concerne les Juifs. Ce qu'il espère au fond je crois, c'est qu'ils se décideront d'eux-mêmes à quitter la France – à émigrer en Israël. En tout cas, ce que je peux vous assurer, c'est qu'il n'a nullement l'intention de compromettre ses ambitions personnelles – qui sont énormes – pour les beaux yeux du peuple palestinien. Étonnamment peu de gens ont lu ce qu'il a écrit à ses débuts – il est vrai que ça a été publié dans des revues de géopolitique assez obscures. Mais sa grande référence, ça saute aux yeux, c'est l'Empire romain – et la construction européenne n'est pour lui qu'un moyen de réaliser cette ambition millénaire. Le principal axe de sa politique étrangère sera de déplacer le centre de gravité de l'Europe vers le Sud ; des organisations existent déjà qui poursuivent cet objectif, comme l'Union pour la Méditerranée. Les premiers pays susceptibles de s'agréger à la construction européenne seront certainement la Turquie et le Maroc ; ensuite viendront la Tunisie et l'Algérie. À plus long terme, il y a l'Égypte – c'est un plus gros morceau, mais ce serait décisif. Parallèlement, on peut penser que les institutions de l'Europe – qui sont à l'heure actuelle tout sauf démocratiques – vont évoluer vers davantage de consultation populaire ; l'issue logique serait l'élection au suffrage universel d'un président européen. Dans ce contexte, l'intégration à l'Europe de pays déjà très peuplés, et à la démographie dynamique, comme la Turquie et l'Égypte, pourrait jouer un rôle décisif. La véritable ambition de Ben Abbes, j'en suis convaincu, c'est de devenir à terme le premier président élu de l'Europe – d'une Europe élargie, incluant les pays du pourtour méditerranéen. Il faut se souvenir qu'il n'a que quarante-trois ans – même si, pour rassurer l'électorat, il s'efforce de paraître davantage en cultivant son embonpoint et en refusant de se faire teindre les cheveux. Dans un sens la vieille Bat Ye'or n'a pas tort, avec son fantasme de complot Eurabia ; mais elle se trompe complètement lorsqu'elle s'imagine que l'ensemble euro-méditerranéen sera, par rapport aux monarchies du Golfe, dans une position d'infériorité : on aura affaire à l'une des premières puissances économiques mondiales, et ils seront tout à fait en mesure de traiter d'égal à égal. C'est un drôle de jeu qui se joue en ce moment avec l'Arabie saoudite et les autres pétromonarchies : Ben Abbes est tout à fait prêt à profiter, sans mesure aucune, de leurs pétrodollars ; mais il n'a aucune intention de consentir à un quelconque abandon de souveraineté. Il ne fait en un sens que reprendre l'ambition de De Gaulle, celle d'une grande politique arabe de la France, et je vous assure qu'il ne manque pas d'alliés, y compris d'ailleurs dans les monarchies du Golfe, dont l'alignement sur les positions américaines les oblige à avaler pas mal de couleuvres, les place en permanence en porte-à-faux avec les opinions arabes, et qui commencent à se dire qu'un allié comme l'Europe, moins organiquement lié à Israël, pourrait constituer un bien meilleur choix... »

Il se tut ; il avait parlé sans interruption pendant plus d'une demi-heure. Je me demandais s'il allait écrire un livre, maintenant qu'il était à la retraite, s'il allait essayer de jeter ses idées sur le papier. Je le trouvais intéressant, dans son exposé ; enfin, pour les gens qui s'intéressent à l'histoire, évidemment. Marie-Françoise apporta le dessert, une croustade landaise aux pommes et aux noix. Cela faisait longtemps en tout cas que je n'avais pas aussi bien mangé. Après le dîner, la chose à faire était de passer au salon pour déguster un bas-armagnac ; c'est exactement ce que nous fîmes. Amolli par le fumet de l'alcool, considérant le crâne lustré de l'ancien espion, sa veste d'intérieur en tissu écossais, je me demandais ce qu'il pouvait bien penser, lui-même, personnellement. Que peut bien penser quelqu'un qui a consacré l'ensemble de sa vie à enquêter sur le *dessous des cartes* ? Probablement rien, et j'imagine qu'il ne votait même pas ; il savait trop de choses.

« Si je suis rentré dans les services secrets français », reprit-il sur un ton plus calme, « c'est bien sûr parce que j'étais fasciné, enfant, par les récits d'espionnage ; mais c'est aussi, je crois, parce que j'avais hérité du patriotisme de mon père, ça m'avait impressionné chez lui. Il était né en 1922, vous vous rendez compte ! Cent ans exactement !... Il s'était engagé dans la Résistance dès le début, dès la fin de juin 1940. Déjà, à son époque, le patriotisme français était une idée un peu dépréciée – on peut dire qu'il est né à Valmy en 1792, et qu'il a commencé de mourir dans les tranchées de Verdun en 1917. Un peu plus d'un siècle, au fond, c'est peu. Aujourd'hui, qui y croit ? Le Front national fait semblant d'y croire, c'est vrai, mais il y a quelque chose de tellement incertain, tellement désespéré dans leur croyance ; les autres partis, eux, ont carrément fait le choix de la dissolution de la France dans l'Europe. Ben Abbes lui aussi croit à l'Europe, il y croit même plus que tous les autres, mais lui c'est différent, il a une idée de l'Europe, un véritable projet de civilisation. Son modèle ultime, au fond, c'est l'empereur Auguste ; ce n'est pas un modèle médiocre. On a conservé les discours d'Auguste au Sénat, vous savez, et je suis certain qu'il les a étudiés avec attention. » Il se tut et ajouta, de plus en plus pensif : « Ça pourrait être une grande civilisation, je ne sais pas... Est-ce que vous connaissez Rocamadour ? » me demanda-t-il soudain, je commençais à m'endormir un peu, je lui répondis que non, je ne croyais pas, enfin peut-être que si, à la télévision.

« Il faut que vous y alliez. Ce n'est qu'à une vingtaine de kilomètres ; il faut absolument que vous y alliez. Le pèlerinage de Rocamadour était un des plus fameux de la chrétienté, vous savez. Henri Plantagenêt, saint Dominique, saint Bernard, Saint Louis, Louis XI, Philippe le Bel... tous sont venus s'agenouiller aux pieds de la Vierge noire, tous ont gravi, à genoux, les escaliers qui mènent au sanctuaire, en priant humblement pour le pardon de leurs péchés. À Rocamadour, vous pourrez vraiment mesurer à quel point la chrétienté médiévale était une grande civilisation. »

Des phrases de Huysmans sur le Moyen âge me revenaient vaguement en mémoire, cet armagnac était absolument délicieux, j'envisageai de lui répondre avant de me rendre compte que j'étais incapable d'articuler une pensée claire. À ma grande surprise, d'une voix ferme et bien scandée, il se mit à réciter du Péguy :

Heureux ceux qui sont morts pour la terre charnelle,
Mais pourvu que ce fût dans une juste guerre.
Heureux ceux qui sont morts pour quatre coins de terre.
Heureux ceux qui sont morts d'une mort solennelle.

Il est bien difficile de comprendre les autres, de savoir ce qui se cache au fond de leurs cœurs, et sans l'assistance de l'alcool on n'y parviendrait peut-être même pas du tout. C'était surprenant et émouvant de voir ce vieil homme propret, soigné, cultivé et ironique, se mettre à déclamer des poèmes :

Heureux ceux qui sont morts dans les grandes
  batailles,
Couchés dessus le sol à la face de Dieu.
Heureux ceux qui sont morts sur un dernier haut
  lieu,
Parmi tout l'appareil des grandes funérailles.

Il secoua la tête avec résignation, avec tristesse presque. « Vous voyez, dès la deuxième strophe, pour donner suffisamment d'ampleur à son poème, il doit évoquer Dieu. À elle seule l'idée de la patrie ne suffit pas, elle doit être reliée à quelque chose de plus fort, à une mystique d'un ordre supérieur ; et ce lien il l'exprime très clairement, dès les vers suivants :

Heureux ceux qui sont morts pour des cités
  charnelles,
Car elles sont le corps de la cité de Dieu.
Heureux ceux qui sont morts pour leur âtre et leur
  feu,
Et les pauvres honneurs des maisons paternelles.

Car elles sont l'image et le commencement
Et le corps et l'essai de la maison de Dieu.
Heureux ceux qui sont morts dans cet embrassement,
Dans l'étreinte d'honneur et le terrestre aveu.

169

« La Révolution française, la République, la patrie... oui, ça a pu donner lieu à quelque chose ; quelque chose qui a duré un peu plus d'un siècle. La chrétienté médiévale, elle, a duré plus d'un millénaire. Je sais que vous êtes un spécialiste de Huysmans, Marie-Françoise me l'a dit. Mais, à mon avis, personne n'a ressenti l'âme du Moyen âge chrétien avec autant de force que Péguy – aussi républicain, laïc, dreyfusard qu'il ait pu être. Et ce qu'il a ressenti également, c'est que la véritable divinité du Moyen âge, le cœur vivant de sa dévotion, ce n'est pas le Père, ce n'est pas même Jésus-Christ ; c'est la Vierge Marie. Et, ça aussi, vous le ressentirez à Rocamadour... »

Je savais qu'ils avaient prévu de repartir à Paris le lendemain ou le surlendemain pour préparer leur déménagement. À présent que les accords de gouvernement du front républicain élargi avaient été conclus les résultats du second tour ne faisaient plus aucun doute, et leur départ à la retraite était devenu une certitude. En prenant congé, après avoir très sincèrement félicité Marie-Françoise pour ses talents culinaires, je fis mes adieux à son mari sur le pas de la porte. Il avait bu presque autant que moi et il demeurait capable de réciter par cœur des strophes entières de Péguy, au fond il m'impressionnait un peu. Je n'étais pas convaincu pour ma part que la république et le patriotisme aient pu « donner lieu à quelque chose », sinon à une succession ininterrompue de guerres stupides, mais Tanneur en tout cas était loin d'être gâteux, j'aurais bien aimé être dans le même état que lui à son âge. Je descendis les quelques marches qui menaient au niveau de la rue, je me retournai dans sa direction et je lui dis : « J'irai à Rocamadour ».

La saison touristique ne battait pas encore son plein, et je trouvai facilement une chambre à l'hôtel *Beau Site*, agréablement situé dans la cité médiévale ; le restaurant panoramique dominait la vallée de l'Alzou. Le site était en effet impressionnant, et il était extrêmement visité. Le renouvellement permanent des touristes venus des quatre coins du monde qui se succédaient, tous un peu différents, tous un peu similaires, un caméscope à la main, pour parcourir avec ébahissement cet enchevêtrement de tours, de chemins de ronde, d'oratoires et de chapelles qui escaladaient la falaise me donna au bout de quelques jours l'impression d'une espèce de sortie du temps historique, et c'est à peine si je remarquai, au soir du second dimanche électoral, la large victoire de Mohammed Ben Abbes. Je me laissais lentement gagner par une inaction rêveuse, et bien que la connexion Internet de l'hôtel fonctionne cette fois parfaitement je m'inquiétais finalement assez peu du silence prolongé de Myriam. Aux yeux de l'hôtelier et du personnel, j'étais maintenant catalogué : un célibataire, un célibataire un peu cultivé, un peu triste, sans grandes distractions – et c'était au fond une description exacte. Enfin pour eux j'étais le genre de clients avec lesquels on n'a pas de problèmes, et c'était l'essentiel.

J'étais peut-être depuis une ou deux semaines à Rocamadour lorsque je reçus, finalement, son mail. Elle m'y parlait beaucoup d'Israël, de l'ambiance très particulière qui y régnait – extraordinairement dynamique et joyeuse, mais toujours avec un fond de tragédie sous-jacente. Il pouvait paraître étrange, me disait-elle, de quitter un pays – la France – parce qu'on craignait d'y courir d'hypothétiques dangers, pour émigrer dans un pays où les dangers, là, n'avaient rien d'hypothétique – une branche dissidente du Hamas venait de décider de déclencher une nouvelle série d'actions, et tous les jours ou presque des kamikazes bardés d'explosifs se faisaient sauter dans des restaurants, des autobus. C'était étrange, mais une fois sur place on parvenait à le comprendre : parce qu'Israël était depuis son origine en guerre, les attentats et les combats y apparaissaient en quelque sorte inévitables, naturels, en tous cas ils n'empêchaient pas de profiter de la vie. À son mail elle me joignait deux photos d'elle, en bikini, sur la plage de Tel-Aviv. Sur l'une des photos, prise de trois quarts dos alors qu'elle s'élançait vers la mer, on devinait très bien ses fesses et je me mis à bander, j'avais une envie irrésistible de les caresser, mes mains étaient parcourues d'un fourmillement douloureux ; c'est incroyable comme je me souvenais bien de ses fesses.

En refermant mon ordinateur je pris conscience qu'elle ne parlait, à aucun moment, d'un éventuel retour en France.

Depuis le début de mon séjour j'avais pris l'habitude de me rendre tous les jours à la chapelle Notre-Dame, et de m'asseoir quelques minutes devant la Vierge noire – celle-là même qui depuis un millier d'années avait inspiré tant de pèlerinages, devant laquelle s'étaient agenouillés tant de saints et de rois. C'était une statue étrange, qui témoignait d'un univers entièrement disparu. La Vierge était assise très droite ; son visage aux yeux clos, si lointain qu'il en paraissait extraterrestre, était couronné d'un diadème. L'enfant Jésus – qui n'avait à vrai dire nullement des traits d'enfant, mais plutôt d'adulte, et même de vieux – était assis, lui aussi très droit, sur ses genoux ; il avait, lui aussi, les yeux clos, et son visage aigu, sage et puissant était également surmonté d'une couronne. Il n'y avait nulle tendresse, nul abandon maternel dans leurs attitudes. Ce n'était pas l'enfant Jésus qui était représenté ; c'était, déjà, le roi du monde. Sa sérénité, l'impression de puissance spirituelle, de force intangible qu'il dégageait étaient presque effrayantes.

Cette représentation surhumaine était aux antipodes du Christ torturé, souffrant qu'avait représenté Matthias Grünewald, et qui avait tellement impressionné Huysmans. Le Moyen âge de Huysmans était celui de l'âge gothique, et même du gothique tardif : pathétique, réaliste

174

et moral, il était déjà proche de la Renaissance, davantage que de l'ère romane. Je me souvenais d'une discussion que j'avais eue, des années auparavant, avec un enseignant en histoire de la Sorbonne. Aux débuts du Moyen âge, m'avait-il expliqué, la question du jugement individuel n'était presque pas posée ; c'est bien plus tard, chez Jérôme Bosch par exemple, qu'apparaissaient ces représentations effrayantes où le Christ sépare la cohorte des élus de la légion des damnés ; où des diables entraînent les pécheurs non repentis vers les supplices de l'enfer. La vision romane était différente, bien plus unanimiste : à sa mort le croyant entrait dans un état de sommeil profond, et se mêlait à la terre. Une fois toutes les prophéties accomplies, à l'heure du second avènement du Christ, c'est le peuple chrétien tout entier, uni et solidaire, qui se levait de son tombeau, ressuscité dans son corps glorieux, pour se mettre en marche vers le paradis. Le jugement moral, le jugement individuel, l'individualité en elle-même n'étaient pas des notions clairement comprises par les hommes de l'âge roman, et je sentais moi aussi mon individualité se dissoudre, au fil de mes rêveries de plus en plus prolongées devant la vierge de Rocamadour.

Il me fallait bien, pourtant, revenir à Paris, nous étions déjà mi-juillet, cela faisait déjà plus d'un mois que j'étais là, constatai-je un matin avec une surprise incrédule ; à vrai dire rien ne pressait, j'avais reçu un mail de Marie-

175

Françoise, qui avait été en contact avec d'autres collègues : personne jusqu'à présent n'avait reçu le moindre message des autorités universitaires, le flou était total. Sur un plan plus général les élections législatives avaient eu lieu, donnant un résultat prévisible, un gouvernement avait été formé.

Il commençait à y avoir des animations touristiques dans le village, surtout gastronomiques mais aussi culturelles, et la veille de mon départ, alors que je faisais ma visite quotidienne à la chapelle Notre-Dame, je tombai par hasard sur une lecture de Péguy. Je m'installai à l'avant-dernier rang ; l'assistance était clairsemée, surtout composée de jeunes en jean et en polo, tous avaient ce visage ouvert et fraternel que parviennent je ne sais comment à arborer les jeunes catholiques.

Mère voici vos fils qui se sont tant battus.
Qu'ils ne soient pas pesés comme on pèse un
    esprit.
Qu'ils soient plutôt jugés comme on juge un
    proscrit
Qui rentre en se cachant par des chemins perdus.

Les alexandrins résonnaient avec régularité dans l'air calme et je me demandais ce que pouvaient bien comprendre à Péguy, à son âme patriotique et violente, ces jeunes catholiques humanitaires. La diction de l'acteur était quoi qu'il en soit remarquable, il me semblait d'ailleurs que c'était un acteur de théâtre connu, il devait appartenir à la Comédie française, mais il devait avoir, également, joué dans des films, il me semblait avoir déjà vu sa photo quelque part.

Mère voici vos fils et leur immense armée.
Qu'ils ne soient pas jugés sur leur seule misère.
Que Dieu mette avec eux un peu de cette terre
Qui les a tant perdus et qu'ils ont tant aimée.

C'était un acteur polonais, j'en étais sûr maintenant, mais je ne parvenais toujours pas à me souvenir de son nom ; peut-être était-il catholique lui aussi, certains acteurs le sont, il est vrai qu'ils exercent une profession bien étrange, où l'idée d'interventions providentielles peut paraître, plus que dans beaucoup d'autres, plausible. Et ces jeunes catholiques, leur terre, l'aimaient-ils ? Étaient-ils prêts, pour elle, à se perdre ? Je me sentais moi-même prêt à me perdre, pas pour ma terre spécialement, je me sentais prêt à me perdre *en général*, enfin j'étais dans un état étrange, la Vierge me paraissait monter, s'élever de son socle et grandir dans l'atmosphère, l'enfant Jésus paraissait prêt à se détacher d'elle et il me semblait qu'il lui suffisait maintenant de lever son bras droit, les païens et les idolâtres seraient détruits, et les clefs du monde lui seraient remises « en tant que seigneur, en tant que possesseur et en tant que maître ».

Mère voici vos fils qui se sont tant perdus.
Qu'ils ne soient pas jugés sur une basse intrigue.
Qu'ils soient réintégrés comme l'enfant prodigue.
Qu'ils viennent s'écrouler entre deux bras tendus.

Peut-être aussi tout simplement j'avais faim, j'avais oublié de manger la veille et il valait peut-être mieux que je rentre à l'hôtel, m'attabler devant quelques cuisses de canard, au lieu de m'effondrer entre deux bancs, victime d'une crise d'hypoglycémie mystique. Une fois de plus je repensai à Huysmans, aux souffrances et aux doutes de sa conversion, à son désir désespéré de s'incorporer à un rite.

Je restai jusqu'à la fin de la lecture, mais sur la fin je m'aperçus que malgré la grande beauté du texte j'aurais préféré, pour ma dernière visite, être seul. Bien autre chose se jouait, dans cette statue sévère, que l'attachement à une patrie, à une terre, ou que la célébration du courage viril du soldat ; ou même que le désir, enfantin, d'une mère. Il y avait là quelque chose de mystérieux, de sacerdotal et de royal que Péguy n'était pas en état de comprendre, et Huysmans encore bien moins. Le lendemain matin, après avoir chargé ma voiture, après avoir payé l'hôtel, je revins à la chapelle Notre-Dame, à présent déserte. La Vierge attendait dans l'ombre, calme et immarcescible. Elle possédait la suzeraineté, elle possédait la puissance, mais peu à peu je sentais que je perdais le contact, qu'elle s'éloignait dans l'espace et dans les siècles tandis que je me tassais sur mon banc, ratatiné, restreint. Au bout d'une demi-heure je me relevai, définitivement déserté par l'Esprit, réduit à mon corps endommagé, périssable, et je redescendis tristement les marches en direction du parking.

IV

En revenant à Paris, en franchissant la barrière de péage de Saint-Arnoult, en laissant derrière moi Savigny-sur-Orge, Antony puis Montrouge, en obliquant vers la sortie de la porte d'Italie, je savais que j'allais au-devant d'une vie sans joie mais non pas vide, peuplée au contraire d'agressions légères : comme je m'y attendais, quelqu'un avait profité de mon absence pour occuper la place de parking qui m'était réservée dans l'immeuble ; une légère fuite d'eau s'était déclarée au niveau du réfrigérateur ; il n'y avait pas d'autre incident domestique. Ma boîte à lettres était remplie de courriers administratifs variés, dont certains exigeraient une réponse rapide. Le maintien d'une vie administrative correcte exige une présence à peu près constante, tout déplacement prolongé risque de vous mettre en porte-à-faux par rapport à tel ou tel organisme, je savais que plusieurs jours de travail me seraient nécessaires pour redresser la barre. Je procédai à un tri sommaire, jetant les publicités les plus anodines, conservant les offres ciblées (les trois jours de folie Office Dépôt, les soldes privées

Cobrason) avant de reporter mon regard vers le ciel d'un gris uniforme. Je demeurai ainsi quelques heures, me resservant régulièrement des verres de rhum, avant d'attaquer la pile de lettres. Les deux premières, provenant de ma mutuelle, m'informaient de l'impossibilité de donner droit à certaines demandes de remboursement, et m'invitaient à les renouveler en joignant des photocopies des documents appropriés ; il s'agissait pour moi de courriers habituels, que je m'étais habitué à laisser sans réponse. La troisième lettre, par contre, me réservait une surprise. Émanant de la mairie de Nevers, elle m'adressait ses plus vives condoléances suite au décès de ma mère, et m'informait que le corps avait été transporté à l'Institut médico-légal de la ville, qu'il m'appartenait de contacter pour prendre les dispositions nécessaires ; la lettre était datée du mardi 31 mai. Je parcourus rapidement la pile : il y avait eu une lettre de relance le 14 juin, une autre le 28. Enfin, le 11 juillet, la mairie de Nevers m'informait que, conformément à l'article L 2223-27 du Code général des collectivités territoriales, la commune avait pris en charge l'inhumation de ma mère dans la division à caveaux de terrain commun du cimetière de la ville. Je disposais d'un délai de cinq ans pour ordonner l'exhumation du corps en vue d'une sépulture personnelle ; à l'issue de ce délai il serait incinéré, et les cendres dispersées dans un jardin du souvenir. Au cas où je demanderais cette exhumation, il m'appartiendrait de prendre en charge les frais engagés par la municipalité

– un corbillard, quatre porteurs, les frais de sépulture proprement dits.

Je ne m'imaginais certes pas ma mère menant une vie sociale intense, assistant à des conférences sur les civilisations précolombiennes ou courant les églises romanes du Nivernais en compagnie d'autres femmes de son âge ; je ne m'attendais quand même pas à une solitude aussi totale. Mon père avait probablement été contacté, lui aussi, et avait dû laisser les courriers sans réponse. Il était quand même gênant de penser qu'elle avait été inhumée dans le carré des indigents (c'était, une recherche Internet me l'apprit, le nom anciennement employé pour la division à caveaux de terrain commun), et je me demandai ce qu'avait pu devenir son bouledogue français (SPA, euthanasie directe ?).

Je mis ensuite de côté les factures et avis de prélèvement, documents faciles, qu'il me suffirait de classer dans les dossiers adéquats, afin d'isoler les correspondances de mes deux interlocuteurs essentiels, ceux qui structurent la vie d'un homme : l'assurance maladie, les services fiscaux. Je n'avais pas le courage de m'y atteler dans l'immédiat, et je décidai d'aller faire un tour dans Paris – enfin Paris peut-être pas, c'était excessif, j'allais me limiter pour cette première journée à une promenade dans le quartier.

En appelant l'ascenseur, je pris conscience que je n'avais reçu aucun courrier des autorités universitaires. Je rebroussai chemin pour consulter mes relevés bancaires : mon salaire avait été viré, tout à fait normalement, fin juin ; mon statut demeurait, donc, toujours aussi incertain.

Le changement de régime politique n'avait pas laissé de trace visible dans le quartier. Des groupes compacts de Chinois se pressaient toujours autour des PMU, leurs bulletins de pari à la main. D'autres poussaient à vive allure des diables, transportaient des pâtes de riz, de la sauce de soja, des mangues. Rien, pas même un régime musulman, ne semblait pouvoir freiner leur activité incessante – le prosélytisme islamique, comme le message chrétien avant lui, se dissoudrait probablement sans laisser de traces dans l'océan de cette civilisation immense.

Je sillonnai le Chinatown pendant un peu plus d'une heure. La paroisse Saint-Hippolyte proposait toujours ses cours d'initiation au mandarin et à la cuisine chinoise ; les flyers pour les soirées *Asia Fever* de Maisons-Alfort n'avaient pas disparu. Je ne découvris en réalité d'autre signe de transformation visible que la disparition du rayon casher du Géant Casino ; mais la grande distribution s'était toujours signalée par son opportunisme.

Il en allait un peu différemment au centre Italie 2. Comme je le pressentais, le magasin Jennyfer avait disparu, remplacé par une sorte de boutique bio provençale proposant des huiles essentielles, du shampoing à l'huile d'olive et du miel aux saveurs de la garrigue. De manière moins explicable, sans doute uniquement liée à des motifs économiques, la succursale de

L'homme moderne, située dans une zone assez déshéritée du second étage, avait elle aussi fermé ses portes, sans être remplacée pour l'instant. Mais c'était surtout le public en lui-même qui avait, subtilement, changé. Comme tous les centres commerciaux – quoique bien entendu de manière beaucoup moins spectaculaire que ceux de la Défense ou des Halles – le centre Italie 2 attirait depuis toujours une notable quantité de racaille ; celle-ci avait entièrement disparu. Et l'habillement féminin s'était transformé, je le ressentis immédiatement sans parvenir à analyser cette transformation ; le nombre de voiles islamiques avait à peine augmenté, ce n'était pas cela, et il me fallut presque une heure de déambulation pour saisir, d'un seul coup, ce qui avait changé : toutes les femmes étaient en pantalon. La détection des cuisses de femmes, la projection mentale reconstruisant la chatte à leur intersection, processus dont le pouvoir d'excitation est directement proportionnel à la longueur des jambes dénudées : tout cela était chez moi tellement involontaire et machinal, génétique en quelque sorte, que je n'en avais pas pris immédiatement conscience, mais le fait était là, les robes et les jupes avaient disparu. Un nouveau vêtement aussi s'était répandu, une sorte de blouse longue en coton, s'arrêtant à mi-cuisse, qui ôtait tout intérêt objectif aux pantalons moulants que certaines femmes auraient pu éventuellement porter ; quant aux shorts, il n'en était évidemment plus question. La contemplation du cul des femmes, minime consolation rêveuse, était elle aussi devenue impossible. Une transformation, donc, était bel et bien en marche ; un basculement objectif avait commencé de se produire. Quelques heures de zapping sur les chaînes de la TNT ne me permirent de déceler aucune mutation supplémentaire ; mais les émissions érotiques étaient de toute façon, depuis longtemps déjà, passées de mode à la télévision.

Ce n'est que deux semaines après mon retour que je reçus le courrier de Paris III. Les nouveaux statuts de l'université islamique de Paris-Sorbonne m'interdisaient d'y poursuivre mes activités d'enseignement ; Robert Rediger, le nouveau président de l'université, avait lui-même signé la lettre ; il m'exprimait son profond regret, et m'assurait que la qualité de mes travaux universitaires n'était nullement en cause. Il m'était bien entendu tout à fait possible de poursuivre ma carrière dans une université laïque ; si toutefois je préférais y renoncer, l'université islamique de Paris-Sorbonne s'engageait à me verser dès maintenant une pension de retraite dont le montant mensuel serait indexé sur l'inflation, et s'élevait à ce jour à 3 472 euros. Je pouvais prendre rendez-vous avec les services administratifs afin d'accomplir les démarches nécessaires.

Je relus la lettre trois fois de suite avant de parvenir à y croire. C'était, à l'euro près, ce que j'aurais touché si j'avais pris ma retraite à soixante-cinq ans, ma carrière entière accomplie. Ils étaient vraiment prêts à de gros sacrifices financiers pour éviter de faire des vagues. Sans doute s'étaient-ils beaucoup exagéré le pouvoir de nuisance des enseignants universitaires, leur capacité à mener à bien une campagne de protestation. Cela faisait bien longtemps qu'un titre d'enseignant universitaire en tant que tel ne suffisait plus à vous ouvrir l'accès aux rubriques « tribune » et « points de vue » des médias importants, et que celles-ci étaient devenues un espace strictement clos, endogame. Une protestation même unanime des enseignants universitaires serait passée à peu près complètement inaperçue ; mais ça, en Arabie saoudite, ils ne pouvaient apparemment pas s'en rendre compte. Au fond, ils croyaient encore au pouvoir de l'élite intellectuelle, c'en était presque touchant.

Extérieurement il n'y avait rien de nouveau à la fac, hormis une étoile et un croissant de métal doré, qui avaient été rajoutés à côté de la grande inscription : « Université Sorbonne Nouvelle – Paris 3 » qui barrait l'entrée ; mais, à l'intérieur des bâtiments administratifs, les transformations étaient plus visibles. Dans l'antichambre, on était accueilli par une photographie de pèlerins effectuant leur circumambulation autour de la Kaaba, et les bureaux étaient décorés d'affiches représentant des versets du Coran calligraphiés ; les secrétaires avaient changé, je n'en reconnaissais pas une seule, et toutes étaient voilées. L'une d'entre elles me remit un formulaire de demande de pension, il était d'une simplicité déconcertante ;

je pus le remplir aussitôt sur un coin de table, le signai et lui remis. En ressortant dans la cour, je pris conscience que ma carrière universitaire venait, en quelques minutes, de prendre fin.

Arrivé au métro Censier, je m'arrêtai, indécis, devant les escaliers ; je ne parvenais pas à me résoudre à rentrer directement chez moi, comme si de rien n'était. Les étalages du marché Mouffetard venaient d'ouvrir. J'errais aux abords de la charcuterie auvergnate, contemplant sans vraiment les voir les saucissons aromatisés (au bleu, aux pistaches, aux noix) lorsque j'aperçus Steve qui remontait la rue. Il me vit lui aussi, et j'eus l'impression qu'il essayait de rebrousser chemin pour m'éviter, mais il était trop tard, je marchai à sa rencontre.

Comme je m'y attendais, il avait accepté un poste d'enseignant dans la nouvelle université ; il était chargé d'un cours sur Rimbaud. Il était manifestement gêné de m'en parler, et ajouta sans que je lui aie demandé que les nouvelles autorités n'intervenaient en rien dans le contenu de l'enseignement. Enfin bien sûr la conversion finale de Rimbaud à l'islam était présentée comme une certitude, alors qu'elle était au minimum controversée ; mais sur l'essentiel, sur l'analyse des poèmes, aucune intervention, vraiment. Comme je l'écoutais sans manifester d'indignation il se détendit peu à peu, et finit par me proposer de prendre un café.

« J'ai longtemps hésité… » me dit-il après avoir commandé un Muscadet. J'acquiesçai avec une chaleur compréhensive ; j'évaluais son temps d'hésitation à dix minutes, tout au plus. « Mais le salaire est vraiment intéressant...

— La pension de retraite, déjà, n'est pas mal.

— Le salaire, c'est nettement plus.

— Combien ?

— Trois fois plus. »

Dix mille euros par mois pour un enseignant médiocre, qui ne pouvait produire aucune publication digne de ce nom, et dont la notoriété était nulle : ils avaient vraiment de très gros moyens. L'université d'Oxford leur était passée sous le nez, me dit Steve, les Qataris avaient surenchéri à la dernière minute ; alors les Saoudiens avaient décidé de tout miser sur la Sorbonne. Ils avaient même racheté des appartements dans le cinquième et le sixième arrondissements pour servir de logements de fonction aux enseignants ; lui-même avait un très joli trois pièces rue du Dragon, pour un loyer minime.

« Je crois qu'ils auraient bien aimé que tu restes... » ajouta-t-il, « mais ils ne savaient pas comment te joindre. En fait, ils m'ont même demandé si je pouvais les aider à établir le contact avec toi ; j'ai dû leur répondre que non, qu'on ne se voyait pas en dehors de la fac. »

Peu après, il me raccompagna jusqu'au métro Censier. « Et les étudiantes ? » demandai-je en arrivant devant l'entrée de la station. Il sourit franchement. « Là, évidemment, les choses ont beaucoup changé ; disons que ça a pris des formes différentes. Je me suis marié » ajouta-t-il avec un peu de brusquerie. « Marié avec une étudiante » précisa-t-il.

— Ils s'occupent de ça aussi ?

— Pas vraiment ; enfin, les possibilités de contact ne sont pas découragées. Je vais prendre une deuxième épouse le mois prochain » conclut-il avant de disparaître en direction de la rue de Mirbel, me laissant, interdit, à l'entrée des escaliers.

Je dus rester quelques minutes immobile avant de me résoudre à rentrer chez moi. Lorsque j'arrivai sur le quai, je vis que le prochain train en direction de Mairie d'Ivry était dans sept minutes ; une rame entrait dans la station, mais elle se dirigeait vers Villejuif.

J'étais *dans la force de l'âge*, aucune maladie létale ne me menaçait directement, les ennuis de santé qui m'assaillaient régulièrement étaient douloureux mais somme toute mineurs ; ce n'est que dans une trentaine, voire une quarantaine d'années, que j'atteindrais cette zone sombre où les maladies deviennent toutes plus ou moins mortelles, où le *pronostic vital*, comme on dit, est presque à chaque fois engagé. Je n'avais pas d'amis, c'est certain, mais en avais-je jamais eu ? Et à quoi bon, si l'on voulait bien y réfléchir, des amis ? À partir d'un certain niveau de dégradation physique – et cela irait beaucoup plus vite, il fallait compter une dizaine d'années, probablement moins, avant que la dégradation ne devienne visible, et qu'on ne me qualifie d'*encore jeune* – il n'y a plus qu'une relation de type conjugal qui puisse directement, et réellement, faire sens (les corps, en quelque sorte, se mêlent ; il se produit, dans une certaine mesure, un nouvel organisme ; enfin, si l'on en croit Platon). Et, du point de vue des relations conjugales, j'étais de toute évidence mal parti. Les mails de Myriam s'étaient, au fil des semaines, faits plus rares et plus brefs. Elle avait renoncé depuis peu à l'envoi « Mon chéri », pour le remplacer par le plus neutre « François ». Ce n'était à mon avis qu'une question de semaines avant qu'elle ne m'annonce, comme toutes celles qui l'avaient précédée, qu'elle avait *rencontré quelqu'un*. La rencontre avait déjà eu lieu, ça j'en étais certain, je ne sais pas très bien pourquoi mais quelque chose dans le choix des mots qu'elle employait, dans la diminution constante du nombre de visages souriants et de petits cœurs parsemant ses mails, m'en donnait l'absolue certitude ; simplement, elle n'avait pas encore trouvé le courage de me l'avouer. Elle se détachait de moi voilà tout, elle était en train de refaire sa vie en Israël, et que pouvais-je attendre d'autre ? C'était une jolie fille, intelligente et sympa, au plus haut point désirable – oui, que pouvais-je attendre d'autre ? Pour Israël, en tout cas, elle manifestait toujours le même enthousiasme. « C'est dur, mais on sait pourquoi on est là » m'écrivait-elle ; je ne pouvais évidemment pas en dire autant.

La fin de ma carrière universitaire m'avait – il me fallut quelques semaines avant d'en prendre réellement conscience – privé de tout contact avec les étudiantes ; et alors, quoi ? Devais-je pour autant m'inscrire sur *Meetic*, comme tant d'autres l'avaient fait avant moi ? J'étais un homme cultivé, de bon niveau ; j'étais *dans la force de l'âge*, comme j'ai dit ; et si après quelques semaines d'un dialogue laborieux où certains moments d'enthousiasme au sujet de n'importe quoi – mettons par exemple les derniers quatuors de Beethoven – seraient provisoirement parvenus à dissimuler un ennui croissant et global, à faire miroiter l'espérance de moments magiques ou d'une complicité faite d'émerveillements et d'éclats de rire, si après ces quelques semaines je me décidais à rencontrer l'une de mes nombreuses homologues féminines, que pourrait-il s'ensuivre ? Panne érectile d'un côté, sécheresse vaginale de l'autre ; il valait mieux éviter ça.

Je n'avais fait que très occasionnellement appel à des sites d'escorts, je l'avais fait le plus souvent pendant les mois d'été, pour assurer en quelque sorte la jonction entre deux étudiantes ; j'avais dans l'ensemble été satisfait. Une rapide exploration sur Internet me permit de constater que le nouveau régime islamique n'avait en rien perturbé leur fonctionnement. Je tergiversai quelques semaines, examinant de nombreux profils, en imprimant certains pour les relire (il en allait des sites d'escorts un peu comme des guides gastronomiques, où la description, d'un lyrisme remarquable, des plats de la carte, laissait entrevoir des délices bien supérieurs à ceux qui étaient en fin de compte éprouvés). Puis je me décidai pour *Nadiabeurette* ; ça m'excitait assez, compte tenu des circonstances politiques globales, de choisir une musulmane.

De fait Nadia, d'origine tunisienne, avait complètement échappé à ce mouvement de réislamisation qui avait massivement frappé les jeunes de sa génération. Fille d'un radiologue, elle habitait depuis son enfance les beaux quartiers, et n'avait jamais envisagé de porter le voile. Elle était en mastère 2 de lettres modernes, elle aurait pu être une de mes anciennes étudiantes ; mais en fait non, elle avait fait toute sa scolarité à Paris-Diderot. Sexuellement, elle faisait son métier avec beaucoup de professionnalisme, mais enchaînait les positions de manière assez mécanique, on la sentait absente, elle ne s'anima vaguement qu'au moment de la sodomie ; elle avait un petit cul bien étroit, mais je ne sais pas pourquoi je n'éprouvais aucun plaisir, je me sentais capable de l'enculer, sans fatigue et sans joie, pendant des heures entières. Au moment où elle se mit à pousser des petits gémissements je sentis qu'elle commençait à avoir peur d'éprouver du plaisir – et peut-être des sentiments par la suite ; elle se retourna rapidement pour me terminer dans sa bouche.

Avant que je ne parte nous discutâmes encore quelques minutes, assis sur son canapé « La Maison du Convertible », le temps d'atteindre la durée d'une heure pour laquelle j'avais payé. Elle était plutôt intelligente, mais assez conventionnelle – sur tous les sujets, de l'élection de Mohammed Ben Abbes à la dette du tiers-monde, elle pensait exactement ce qu'il était convenu de penser. Son studio était décoré avec goût, impeccablement rangé ; j'étais certain qu'elle se comportait raisonnablement, que loin de dépenser tous ses gains en fringues de luxe elle en mettait soigneusement la plus grande partie de côté.

En effet, elle me confirma qu'après quatre ans de travail – elle avait commencé à l'âge de dix-huit ans – elle avait gagné assez pour acheter le studio où elle exerçait. Elle avait l'intention de continuer jusqu'à la fin de ses études – ensuite, elle envisageait plutôt une carrière dans l'audiovisuel.

Quelques jours plus tard je rencontrai *Babeth la salope*, qui avait des commentaires dithyrambiques sur le site, et se présentait comme « hot et sans tabous ». De fait, elle m'accueillit dans son joli deux pièces, un peu vieillot, uniquement vêtue d'un soutien-gorge seins nus et d'un string ouvert. Elle avait de longs cheveux blonds et un visage candide, presque angélique. Elle aussi appréciait la sodomie, mais ne se privait pas pour le manifester. Au bout d'une heure je n'avais toujours pas joui, et elle me fit remarquer que j'étais vraiment résistant ; de fait, cette fois non plus, et même si mon érection n'avait jamais faibli, je n'avais à aucun moment éprouvé le moindre plaisir. Elle me demanda si je pouvais jouir sur ses seins ; je m'exécutai. En étalant le sperme sur sa poitrine, elle me raconta qu'elle aimait beaucoup à en être recouverte ; elle participait régulièrement à des *gang bangs*, le plus souvent dans des boîtes échangistes, parfois dans des lieux publics tels que des parkings. Bien qu'elle ne demandât qu'une participation minime – cinquante euros par personne – ces soirées étaient pour elle très lucratives, car elle y invitait parfois quarante ou cinquante hommes, qui utilisaient à tour de rôle ses trois orifices avant de décharger sur elle. Elle me promit de me tenir informé la prochaine fois qu'elle organiserait un *gang bang* ; je la remerciai. Je n'étais pas réellement intéressé, mais je la trouvais sympathique.

En somme, ces deux escorts étaient *bien*. Pas suffisamment quand même pour me donner envie de les revoir, ni d'engager avec elles des relations suivies ; ni pour me donner envie de vivre. Devais-je, alors, mourir ? Cela me paraissait une décision prématurée.

Ce fut en fait mon père qui mourut, quelques semaines plus tard. Je l'appris par un appel de Sylvia, sa compagne. Nous n'avions, regrettat-elle au téléphone, « pas tellement eu l'occasion de nous parler ». C'était vraiment un euphémisme : en fait je ne lui avais *jamais* parlé, je ne connaissais même son existence que par une allusion indirecte que m'avait faite mon père lors de notre dernière conversation, deux ans auparavant.

Elle vint me chercher à la gare de Briançon ; mon voyage avait été très désagréable. Le TGV jusqu'à Grenoble ça allait encore, la SNCF maintenait un niveau de service minimum, dans les TGV ; mais les TER étaient véritablement laissés à l'abandon, celui qui rejoignait Briançon eut plusieurs pannes, et arriva finalement avec un retard d'une heure quarante ; les toilettes étaient bouchées, un flot d'eau mêlée de merde avait envahi la plateforme, menaçant de se répandre dans les compartiments.

Sylvia était au volant d'un Mitsubishi Pajero Instyle, et à ma profonde stupéfaction les

sièges avant étaient recouverts de housses imi-
tation léopard. Le Mitsubishi Pajero, je l'appris à mon retour en achetant le hors-série de
L'Auto-Journal, est « un des tout-terrains les
plus efficaces en milieu hostile ». Dans sa fini-
tion Instyle il est équipé d'une sellerie en cuir,
d'un toit ouvrant électrique, d'une caméra de
recul et d'un système audio Rockford Acoustic
860 watts doté de 22 haut-parleurs. Tout cela
était profondément surprenant ; pendant toute
sa vie – enfin, pendant toute la partie de sa vie
qui m'était connue – mon père s'était main-
tenu, presque jusqu'à l'ostentation, dans les
limites d'un bon goût bourgeois parfaitement
conventionnel : costumes trois pièces gris à
fines rayures, ou éventuellement bleu sombre,
cravates anglaises de marque, son habillement
correspondait en fait exactement à la fonction
qu'il exerçait : directeur financier d'une grande
entreprise. Cheveux blonds légèrement ondu-
lés, yeux d'un bleu d'azur, beau de visage :
il aurait parfaitement pu interpréter un rôle
dans l'un de ces films qu'Hollywood produit de
temps à autre sur ces sujets à la fois abscons et
paraît-il terriblement importants qui tournent
autour de l'univers financier, des *subprimes* et
de Wall Street. Je ne l'avais pas revu depuis
dix ans, et son évolution m'était restée inconnue, mais je ne m'attendais certes pas à cette
transformation en une sorte de baroudeur de
banlieue.

Sylvia avait la cinquantaine, vingt-cinq ans
de moins que lui environ ; si je n'avais pas
été là, elle aurait probablement touché l'inté-

gralité de l'héritage ; mon existence l'obligeait à me concéder la part qui m'était réservée – 50 % quand même, puisque j'étais enfant unique. Dans ces conditions, on pouvait difficilement s'attendre à ce qu'elle éprouve des sentiments très chaleureux à mon égard ; elle se comportait toutefois raisonnablement bien, m'adressait la parole sans gêne excessive. J'avais téléphoné à plusieurs reprises pour l'avertir du retard croissant de mon train, et la notaire avait pu décaler le rendez-vous à dix-huit heures.

L'ouverture du testament de mon père n'apporta aucune surprise : son patrimoine était partagé, à parts égales, entre nous deux ; il n'y avait aucun legs complémentaire. Mais la notaire avait bien travaillé, avait commencé à évaluer la succession.

Il touchait une très bonne retraite d'Unilever, et n'avait que peu de chose en argent liquide : deux mille euros sur son compte courant, quelque dix mille euros sur un compte d'épargne en actions souscrit il y a longtemps, probablement oublié. Sa principale possession était la maison où ils vivaient, Sylvia et lui : un agent immobilier de Briançon, après visite, avait établi une estimation à quatre cent dix mille euros. Son 4 × 4 Mitsubishi, presque neuf, valait quarante-cinq mille euros à l'Argus. Le plus étonnant pour moi était l'existence d'une collection de fusils de prix, que la notaire avait classés par ordre de cotation : les plus chers étaient un Verney-Carron « Platines » et un Chapuis « Oural Élite ». L'ensemble représentait quand même un montant de quatre-vingt-sept mille euros – nettement plus que le 4 × 4.

« Il collectionnait les armes ? » demandai-je à Sylvia.

— Ce n'était pas des armes de collection ; il allait beaucoup à la chasse, c'était devenu sa grande passion. »

Un ancien directeur financier d'Unilever achetant sur le tard un 4 × 4 de franchissement, et retrouvant ses instincts de chasseur-cueilleur : c'était surprenant, mais après tout possible. La notaire avait déjà terminé ; cette succession allait être désespérément simple. L'extrême rapidité du processus ne m'avait quand même pas empêché, compte tenu de mon retard initial, de rater mon train de retour, et c'était le dernier de la journée. Ceci plaçait Sylvia dans une position délicate, comme nous en prîmes conscience, sans doute à peu près au même moment, en remontant dans la voiture. Je dissipai aussitôt le malaise en affirmant que pour moi le mieux, et de loin, était de trouver une chambre d'hôtel proche de la gare de Briançon. Mon train pour Paris partait très tôt le lendemain matin et je ne pouvais en aucun cas le manquer, j'avais des rendez-vous très importants dans la capitale, affirmai-je. Je mentais doublement : non seulement je n'avais pas de rendez-vous le lendemain, pas plus qu'aucun autre jour, mais le premier train de la journée partait un peu avant midi, je pouvais au mieux espérer être à Paris aux alentours de dix-huit heures. Rassurée sur le fait que j'allais prochainement disparaître de sa vie, c'est presque avec élan qu'elle m'invita à boire un verre « chez eux », comme elle s'obstinait à le dire. Non seulement ça n'était plus « chez eux », puisque mon père était mort, mais ça n'allait bientôt plus être « chez elle » : compte tenu des chiffres qui m'avaient été communiqués, elle n'aurait d'autre choix, pour me régler ma part de la succession, que de mettre cette maison en vente.

Situé sur les contreforts de la vallée de Freissinières, leur chalet était énorme ; le parking, en sous-sol, aurait pu contenir une dizaine de voitures. En traversant le corridor qui menait au living-room, je m'arrêtai devant des trophées empaillés qui devaient être des chamois, des mouflons, enfin des mammifères de ce genre ; il y avait aussi un sanglier, plus facile à reconnaître.

« Enlevez votre manteau, si vous voulez... » me dit Sylvia. « C'était très sympa, vous savez, la chasse ; moi non plus, je ne connaissais pas avant. Ils chassaient toute la journée du dimanche, et on dînait ensemble avec les autres chasseurs et leurs femmes, une dizaine de couples ; en général on prenait l'apéritif ici, et souvent on allait dans un petit restaurant du village voisin, qu'on privatisait pour l'occasion. »

Ainsi, mon père avait eu une fin de vie *sympa* ; là encore, c'était une surprise. Durant toute ma jeunesse, je n'avais jamais rencontré aucun de ses collègues de travail, et je ne crois pas que lui non plus en ait jamais rencontré un – en dehors, justement, du cadre du travail.

Mes parents avaient-ils des amis ? Peut-être, mais je ne parvenais pas à m'en souvenir. Nous vivions à Maisons-Laffitte dans une grande maison – certes moins grande que celle-ci, mais grande tout de même. Je ne revoyais personne qui soit venu dîner chez nous, passer un week-end, enfin faire ce genre de choses qu'on fait généralement quand on est *amis*. Je ne croyais pas non plus, et c'était plus troublant, que mon père ait eu ce qu'on appelle des *maîtresses* – là évidemment je ne pouvais pas être certain, je n'avais aucune preuve ; mais je n'arrivais pas du tout à associer l'idée d'une maîtresse avec le souvenir que je gardais de lui. En somme voilà un homme qui aurait vécu deux vies, nettement séparées, et sans le moindre point de contact.

Le living-room était très vaste, et devait occuper la totalité de l'étage ; près de la cuisine américaine installée à droite de l'entrée, il y avait une grande table de ferme. Le reste de l'espace était occupé par des tables basses et de profonds divans de cuir blanc ; au mur il y avait d'autres trophées de chasse, et sur un râtelier la collection de fusils de mon père : c'étaient de beaux objets, avec des incrustations de métal finement ouvragées qui brillaient d'une luisance douce. Le sol était jonché de peaux d'animaux divers, essentiellement des moutons j'imagine ; on se serait un peu cru dans un film porno allemand des années 1970, un de ceux qui se passent dans un relais de chasse au Tyrol. Je me dirigeai vers la baie vitrée qui occupait toute la paroi du fond, donnant sur un paysage de montagnes. « En face, on voit le pic de la Meije, intervint Sylvia. Et, plus vers le Nord, vous avez la barre des Écrins. Vous voulez boire quelque chose ? »

Jamais je n'avais vu un meuble-bar aussi bien garni, il y avait des dizaines d'alcools de fruits, et certaines liqueurs dont je ne soupçonnais même pas l'existence, mais je me contentai d'un Martini. Sylvia alluma une lampe de chevet. Le soir tombant donnait des lueurs bleutées à la neige qui recouvrait le massif des Écrins, et l'ambiance devenait un peu triste. Même en dehors des questions d'héritage, je n'imaginais pas qu'elle puisse avoir envie de rester seule dans cette maison. Elle travaillait encore, elle occupait je ne sais quel emploi à Briançon, elle me l'avait dit pendant le parcours jusqu'à l'étude de la notaire mais j'avais oublié. De toute évidence, même si elle s'installait dans un bel appartement au centre de Briançon, sa vie allait devenir nettement moins drôle. Je m'assis un peu à contrecœur sur le divan, acceptai un deuxième Martini – mais j'avais déjà décidé que ce serait le dernier, que tout de suite après je lui demanderais de me raccompagner à l'hôtel. Je n'arriverais jamais à comprendre les femmes, cela m'apparaissait avec une évidence croissante. On avait affaire à une femme normale, et même d'une normalité presque exagérée ; pourtant, elle avait réussi à trouver quelque chose chez mon père ; quelque chose que ni ma mère ni moi n'avions décelé. Et je ne pouvais pas croire que ce soit uniquement, ni même principalement une question d'argent ; elle-même jouissait d'un salaire élevé, cela se voyait à son habillement, sa coiffure, à sa manière générale de parler. Chez cet homme âgé, ordinaire, elle avait su, la première, trouver quelque chose à aimer.

De retour à Paris, je découvris l'e-mail que je craignais, depuis quelques semaines, de recevoir ; enfin ce n'est pas tout à fait vrai, je crois que je m'y étais déjà résigné ; la seule question que je me posais vraiment, c'était de savoir si Myriam allait m'écrire, elle aussi, qu'elle avait *rencontré quelqu'un* ; si elle allait employer l'expression.

Elle employait l'expression. Dans le paragraphe suivant elle se déclarait profondément désolée, et m'écrivait qu'elle ne penserait jamais à moi sans une certaine tristesse. Je pense que c'était vrai – même si la vérité était, aussi, qu'elle n'y penserait vraisemblablement plus beaucoup. Elle changeait ensuite de sujet, feignait de s'inquiéter énormément de la situation politique en France. Ça c'était gentil, de faire comme si notre amour avait été en quelque sorte brisé par le tourbillon des convulsions historiques ; ce n'était évidemment pas tout à fait honnête, mais c'était gentil.

Je me détournai de l'écran de l'ordinateur, fis quelques pas vers la fenêtre ; un nuage lenticulaire isolé, aux flancs teintés d'orange par le soleil couchant, flottait très haut au-dessus du stade Charléty, aussi immobile, aussi indifférent qu'un vaisseau spatial intergalactique. Je ne ressentais qu'une douleur sourde, amortie, mais suffisante pour m'empêcher de penser clairement ; tout ce que je voyais c'est qu'une fois de plus je me retrouvais seul, avec un désir de vivre qui s'amenuisait, et de nombreux tracas en perspective. Extrêmement simple en elle-même, ma démission de l'université avait ouvert un vaste chantier administratif auprès de la sécurité sociale, accessoirement de ma mutuelle, que je ne me sentais pas le courage d'aborder. Il le fallait, pourtant ; quoique très confortable, ma pension de retraite ne m'aurait en aucun cas permis de faire face à une maladie sérieuse ; elle me permettait, par contre, de faire de nouveau appel à des escorts. Je n'en avais au fond nullement envie, et l'obscure notion kantienne de « devoir envers soi » flottait dans mon esprit lorsque je me décidai à parcourir les écrans de mon site de rencontres habituel. J'optai finalement pour une annonce passée par deux filles : Rachida, une Marocaine de 22 ans, et Luisa, une Espagnole de 24 ans, proposaient de « se laisser envoûter par un duo coquin et endiablé ». C'était cher, évidemment ; mais les circonstances me paraissaient justifier une dépense un peu exceptionnelle ; nous prîmes rendez-vous pour le soir même.

Les choses se passèrent au début comme d'habitude, c'est-à-dire plutôt bien : elles louaient un joli studio près de la place Monge, elles avaient fait brûler de l'encens et mis de la musique douce genre chant de baleines, je les pénétrai et les enculai tour à tour, sans fatigue et sans plaisir. Ce n'est qu'au bout d'une demi-heure, alors que je prenais Luisa en levrette, que quelque chose de nouveau se produisit : Rachida me fit la bise, puis, avec un petit sourire, se glissa derrière moi ; elle posa d'abord une main sur mes fesses, puis approcha son visage et commença à me lécher les couilles. Peu à peu je sentis renaître en moi, avec un émerveillement croissant, les frissons oubliés du plaisir. Peut-être le mail de Myriam, le fait qu'elle me quitte en quelque sorte officiellement, avait-il libéré quelque chose en moi, je ne sais pas. Éperdu de reconnaissance je me retournai, arrachai le préservatif et m'offris à la bouche de Rachida. Deux minutes plus tard, je jouis entre ses lèvres ; elle lécha méticuleusement les dernières gouttes pendant que je lui caressais les cheveux.

En partant, j'insistai pour leur donner à chacune un pourboire de cent euros ; mes conclusions négatives étaient peut-être prématurées, ces deux filles m'en apportaient un témoignage qui s'ajoutait à la surprenante mutation intervenue, sur le tard, dans la vie de mon père ; et peut-être, si je revoyais régulièrement Rachida, un sentiment amoureux finirait-il par naître entre nous, rien ne permettait absolument de l'exclure.

Ce bref élan d'espoir survint à un moment où, plus généralement, la France retrouvait un optimisme qu'elle n'avait pas connu depuis la fin des Trente Glorieuses, un demi-siècle auparavant. Les débuts du gouvernement d'union nationale mis en place par Mohammed Ben Abbes étaient unanimement salués comme un succès, jamais un président de la république nouvellement élu n'avait bénéficié d'un tel « état de grâce », tous les commentateurs étaient d'accord là-dessus. Je repensais souvent à ce que m'avait dit Tanneur, aux ambitions internationales du nouveau président, et je notai avec intérêt une information pratiquement passée sous silence : la relance des négociations sur sa prochaine adhésion entre le Maroc et l'Union européenne ; en ce qui concerne la Turquie, un calendrier avait déjà été établi. La reconstruction de l'Empire romain était en marche, donc, et sur le plan intérieur Ben Abbes accomplissait un parcours sans faute. La conséquence la plus immédiate de son élection est que la délinquance avait baissé, et dans des proportions énormes : dans les quartiers les plus difficiles, elle avait carrément été divisée par dix. Un autre succès immédiat était le chômage, dont les courbes étaient en chute libre. C'était dû sans nul doute à la sortie massive des femmes du marché du travail – elle-même liée à la revalorisation considérable des allocations familiales, la première mesure présentée, symboliquement, par le nouveau gouvernement. Le fait que le versement soit conditionné à la cessation de toute activité professionnelle avait un peu fait grincer des dents, au début, à gauche ; mais, au vu des chiffres du chômage, les grincements de dents avaient rapidement cessé. Le déficit budgétaire n'en serait même pas augmenté : l'augmentation des allocations familiales était intégralement compensée par la diminution drastique du budget de l'Éducation nationale – de loin le premier budget de l'État auparavant. Dans le nouveau système mis en place, l'obligation scolaire s'arrêtait à la fin du primaire – c'est-à-dire, à peu près, à l'âge de douze ans ; le certificat de fin d'études était rétabli, et apparaissait comme le couronnement normal du parcours éducatif. Ensuite, la filière de l'artisanat était encouragée ; le financement de l'enseignement secondaire et supérieur devenait, quant à lui, entièrement privé. Toutes ces réformes visaient à « redonner toute sa place, toute sa dignité à la famille, cellule de base de notre société », avaient déclaré le nouveau président de la république et son premier ministre dans une étrange allocution commune, où Ben Abbes avait trouvé des accents presque mystiques, et où François Bayrou, le visage auréolé d'un large sourire béat, avait à peu près joué le rôle de Jean Saucisse, le *Hanswurst* des vieilles pantomimes allemandes, qui répète sous une forme exagérée – et un peu grotesque – ce qui vient d'être dit par le personnage principal. Les écoles musulmanes n'avaient de toute évidence rien à craindre – en ce qui concerne l'enseignement, la générosité des pétromonarchies était depuis toujours sans limites. De manière plus surprenante, certains établissements catholiques et juifs avaient semble-t-il réussi à tirer leur épingle du jeu en faisant appel au concours de différents chefs d'entreprise ; ils annonçaient en tout cas avoir bouclé leur tour de table, et qu'ils ouvriraient normalement dès la prochaine rentrée.

L'implosion brutale du système d'opposition binaire centre-gauche – centre-droit qui structurait la vie politique française depuis des temps immémoriaux avait d'abord plongé l'ensemble des médias dans un état de stupeur confinant à l'aphasie. On avait pu voir le malheureux Christophe Barbier, son écharpe en berne, se traîner misérablement d'un plateau de télévision à l'autre, impuissant à commenter une mutation historique qu'il n'avait pas vu venir – que personne, à vrai dire, n'avait vu venir. Cependant, peu à peu, au fil des semaines, des noyaux d'opposition commencèrent à se former. Du côté, d'abord, des laïques de gauche. Sous l'impulsion de personnalités aussi improbables que Jean-Luc Mélenchon et Michel Onfray, des réunions de protestation eurent lieu ; le Front de gauche existait toujours, sur le papier tout du moins, et on pouvait déjà prévoir que Mohammed Ben Abbes aurait un challenger présentable en 2027 – en dehors bien entendu de la candidate du Front national. À l'inverse, certaines formations comme l'Union des étudiants salafistes firent entendre leur voix, dénonçant la persistance de comportements immoraux et réclamant une application réelle de la charia. Les éléments d'un débat politique se mettaient ainsi peu à peu en place. Ce serait un débat d'un type nouveau, très différent de ceux qu'avait connus la France au cours des dernières décennies, ressemblant davantage à celui qui existait dans la plupart des pays arabes ; mais ce serait, quand même, une espèce de débat. Et l'existence d'un débat politique même factice est nécessaire au fonctionnement harmonieux des médias, peut-être même à l'existence au sein de la population d'un sentiment au moins formel de démocratie.

Au-delà de cette agitation superficielle, la France était en train d'évoluer rapidement, et d'évoluer en profondeur. Il apparut bientôt que Mohammed Ben Abbes, même indépendamment de l'islam, avait des idées ; lors d'une séance de questions à la presse, il se déclara influencé par le distributivisme, ce qui plongea ses auditeurs dans un ébahissement général. Il l'avait à vrai dire déjà déclaré, à plusieurs reprises, au cours de la campagne présidentielle ; mais les journalistes ayant une tendance bien naturelle à ignorer les informations qu'ils ne comprennent pas, la déclaration n'avait été ni relevée, ni reprise. Cette fois, il s'agissait d'un président de la république en exercice, il devenait donc indispensable qu'ils mettent à jour leur documentation. Le grand public apprit ainsi au cours des semaines suivantes que le distributivisme était une philosophie économique apparue en Angleterre au début du XXᵉ siècle sous l'impulsion des penseurs Gilbert Keith Chesterton et Hilaire Belloc. Elle se voulait une « troisième voie », s'écartant aussi bien du capitalisme que du communisme – assimilé à un capitalisme d'État. Son idée de base était la suppression de la séparation entre le capital et le travail. La forme normale de l'économie y était l'entreprise familiale ; lorsqu'il devenait nécessaire, pour certaines productions, de se réunir dans des entités plus vastes, tout devait être fait pour que les travailleurs soient actionnaires de leur entreprise, et coresponsables de sa gestion.

Le distributivisme, devait plus tard préciser Ben Abbes, était parfaitement compatible avec les enseignements de l'islam. La précision n'était pas inutile, Chesterton et Belloc ayant surtout été connus de leur vivant pour leur virulente activité de polémistes catholiques. Il apparut assez vite, malgré l'anticapitalisme affiché de la doctrine, que les autorités de Bruxelles n'auraient au fond pas grand-chose à craindre de cette orientation. Les principales mesures pratiques adoptées par le nouveau gouvernement furent en effet d'une part la suppression totale des aides de l'État aux grands groupes industriels – mesures que Bruxelles combattait depuis déjà longtemps comme une atteinte au principe de libre concurrence – et d'autre part l'adoption d'aménagements fiscaux très favorables à l'artisanat et au statut d'auto-entrepreneur. Ces mesures furent d'emblée extrêmement populaires ; depuis plusieurs décennies, le rêve professionnel universellement exprimé par les jeunes était en effet de « monter sa boîte », ou du moins d'avoir un statut de travailleur indépendant. Elles correspondaient en outre parfaitement aux évolutions de l'économie nationale : malgré de coûteux plans de sauvetage, les grands sites industriels avaient en effet continué de fermer en France, les uns après les autres ; alors que l'agriculture et l'artisanat tiraient parfaitement leur épingle du jeu, et même conquéraient, comme on dit, des parts de marché.

Toutes ces évolutions entraînaient la France vers un nouveau modèle de société, mais la transformation devait demeurer implicite jusqu'à la publication fracassante d'un essai dû à un jeune sociologue, Daniel Da Silva, ironiquement intitulé *Un jour, tout cela sera à toi, mon fils*, et plus explicitement sous-titré « Vers la famille de raison ». Il y rendait dans l'introduction hommage à un autre essai, paru une dizaine d'années auparavant, du philosophe Pascal Bruckner, où celui-ci, constatant l'échec du mariage d'amour, prônait un retour au mariage de raison. De même, Da Silva soutenait que le lien familial, en particulier le lien père-fils, ne pouvait en aucun cas être basé sur l'amour, mais sur la transmission d'un savoir-faire et d'un patrimoine. Le passage au salariat généralisé devait nécessairement selon lui provoquer l'explosion de la famille et l'atomisation complète de la société, qui ne pourrait se refonder que lorsque le modèle de production normal serait à nouveau basé sur l'entreprise individuelle. Si les thèses antiromantiques avaient souvent connu un succès de scandale, elles avaient avant Da Silva peiné à se maintenir dans l'horizon médiatique, le consensus demeurant universel dans les médias dominants autour de la liberté individuelle, le mystère de l'amour, et d'autres choses. Vif d'esprit, excellent débatteur, assez indifférent au fond aux idéologies politiques ou religieuses, demeurant en toutes circonstances strictement centré sur son domaine de compétence – l'analyse de l'évolution des structures familiales et de ses conséquences sur les perspectives démographiques des sociétés occidentales –, le jeune sociologue devait, le premier, réussir à briser le cercle de droitisation qui menaçait de se créer autour de lui, et s'imposer comme une voix autorisée dans les débats de société qui naquirent (qui naquirent très lentement, très progressivement, et sans grande virulence, l'ambiance générale demeurant celle d'une acceptation tacite et languide, mais qui naquirent tout de même) autour des projets de société de Mohammed Ben Abbes.

Ma propre histoire familiale était une illustration parfaite des thèses de Da Silva ; quant à l'amour, j'en étais plus que jamais éloigné. Le miracle de ma première visite à Rachida et Luisa ne s'était pas reproduit, et ma bite était redevenue un organe aussi efficace qu'insensible ; je quittai leur studio dans un état de semi-désespoir, conscient que je ne les reverrais probablement jamais, et que les possibilités vivantes coulaient entre mes doigts avec une rapidité croissante, me laissant, comme l'aurait dit Huysmans, « inému et sec ».

Peu après, un front froid descendit brutalement, de plusieurs milliers de kilomètres, sur l'Europe occidentale ; après avoir stagné quelques jours sur les Îles britanniques et l'Allemagne du Nord, les masses d'air polaire descendirent en une nuit sur la France, occasionnant des températures exceptionnellement basses pour la saison.

Mon corps qui ne pouvait plus être une source de plaisir demeurait une source plausible de souffrances, et quelques jours plus tard je me rendis compte que j'étais, pour la dixième fois peut-être depuis trois ans, victime de dyshidrose, qui se manifestait sous la forme d'un eczéma bulleux. De minuscules pustules incrustées sous la plante des pieds et entre mes orteils tendaient à se rejoindre pour former une surface purulente, à vif. Un rendez-vous de dermatologue m'apprit que l'affection s'était compliquée d'une mycose due à des champignons opportunistes qui avaient colonisé la zone touchée. Le traitement était connu mais long, il ne fallait pas attendre d'amélioration significative avant plusieurs semaines. Je fus réveillé par la douleur pendant toutes les nuits qui suivirent ; je devais me gratter pendant des heures, jusqu'au sang, pour obtenir un apaisement temporaire. Il était étonnant que mes orteils, ces petits bouts de chair dodus, absurdes, puissent être ravagés d'aussi lancinantes tortures.

Une nuit que je m'étais livré à l'une de ces séances de grattage je me levai, les pieds en sang, j'allai jusqu'à la baie vitrée. Il était trois heures du matin, mais l'obscurité, comme toujours à Paris, était partielle. De ma fenêtre on distinguait une dizaine de tours, plusieurs centaines d'immeubles de taille moyenne. En tout quelques milliers d'appartements, et également de *ménages* – ménages en général réduits à Paris à une ou deux personnes, et de plus en plus souvent à une. La plupart de ces cellules, à présent, étaient éteintes. Je n'avais, pas davantage que la plupart de ces gens, de véritable raison de me tuer. J'en avais même, à bien y regarder, nettement moins : ma vie avait été marquée par des accomplissements intellectuels réels, j'étais dans un certain milieu – certes extrêmement restreint – reconnu et même respecté. Sur le plan matériel, je n'avais pas à me plaindre : j'étais assuré jusqu'à ma mort de bénéficier d'un revenu élevé, deux fois supérieur à la moyenne nationale, sans avoir à accomplir en échange le moindre travail. Pourtant, je le sentais bien, je me rapprochais du suicide, sans éprouver de désespoir ni même de tristesse particulière, simplement par dégradation lente de la « somme totale des fonctions qui résistent à la mort » dont parle Bichat. La simple volonté de vivre ne me suffisait manifestement plus à résister à l'ensemble des douleurs et des tracas qui jalonnent la vie d'un Occidental moyen, j'étais incapable de vivre pour moi-même, et pour qui d'autre aurais-je vécu ? L'humanité ne m'intéressait pas, elle me dégoûtait même, je ne considérais nullement les humains comme mes frères, et c'était encore moins le cas si je considérais une fraction plus restreinte de l'humanité, celle par exemple constituée par mes compatriotes, ou par mes anciens collègues. Pourtant, en un sens déplaisant, je devais bien le reconnaître, ces humains étaient mes semblables, mais c'était justement cette ressemblance qui me faisait les fuir ; il aurait fallu une femme, c'était la solution classique, éprouvée, une femme est certes humaine mais représente un type légèrement différent d'humanité, elle apporte à la vie un certain parfum d'exotisme. Huysmans aurait pu se poser le problème pratiquement dans les mêmes termes, la situation n'avait guère évolué depuis lors, sinon de manière informelle et négative, par effritement lent, par aplanissement des différences – mais même cela sans doute avait été largement exagéré. Il avait finalement pris un autre chemin, il avait opté pour l'exotisme plus radical de la *divinité* ; mais ce chemin me laissait toujours aussi perplexe.

Quelques mois passèrent encore ; ma dyshidrose finit par céder aux traitements, mais elle fut remplacée, presque aussitôt, par des crises d'hémorroïdes extrêmement violentes. Le temps devint de plus en plus froid, et mes déplacements de plus en plus rationnels : une sortie hebdomadaire jusqu'au Géant Casino pour renouveler mes stocks de produits alimentaires et d'entretien, une sortie quotidienne jusqu'à ma boîte à lettres pour recevoir les livres que je commandais sur Amazon.

Je traversai pourtant sans désespoir excessif la période des fêtes. L'année précédente, j'avais encore reçu quelques mails de bonne année – d'Alice en particulier, de certains collègues de la fac aussi. Cette année, pour la première fois, il n'y avait personne.

Le 19 janvier dans la nuit, je fus submergé par une crise de larmes imprévue, interminable. Au matin, alors que l'aube montait sur Le Kremlin-Bicêtre, je décidai de retourner à l'abbaye de Ligugé, là où Huysmans avait reçu l'oblature.

Le TGV pour Poitiers était annoncé avec un retard indéterminé, et des agents de sécurité de la SNCF patrouillaient le long des quais pour éviter qu'un usager ne soit tenté d'allumer une cigarette ; en somme mon voyage commençait plutôt mal, et d'autres déconvenues m'attendaient à l'intérieur de la rame. L'espace réservé aux bagages s'était encore réduit depuis mon dernier déplacement, il était devenu presque inexistant, valises et sacs de voyage s'entassaient dans les couloirs, rendant conflictuelle et rapidement impossible cette déambulation entre les wagons qui constituait naguère le principal agrément d'un voyage ferroviaire. Le bar Servair, qu'il me fallut vingt-cinq minutes pour atteindre, devait me réserver une nouvelle déception : la plupart des plats d'une carte pourtant courte étaient indisponibles. La SNCF et la société Servair s'excusaient du dérangement occasionné ; il me fallut me contenter d'une salade de quinoa au basilic et d'une eau gazeuse italienne. J'avais acheté *Libération*, un peu par désespoir, dans un *Relay* de la gare. Un article finit par attirer mon attention, à peu près à la hauteur de Saint-Pierre-des-Corps : le distributivisme affiché par le nouveau président semblait, finalement, moins inoffensif qu'il n'était apparu au premier abord. Un des éléments essentiels de la philosophie politique introduite par Chesterton et Belloc était le principe de subsidiarité. D'après ce principe, aucune entité (sociale, économique ou politique) ne devait prendre en charge une fonction pouvant être confiée à une entité plus petite. Le pape Pie XI, dans son encyclique *Quadragesimo Anno*, fournissait une définition de ce principe : « Tout comme il est mauvais de retirer à l'individu et de confier à la communauté ce que l'entreprise privée et l'industrie peuvent accomplir, c'est également une grande injustice, un mal sérieux et une perturbation de l'ordre convenable pour une organisation supérieure plus large de s'arroger les fonctions qui peuvent être effectuées efficacement par des entités inférieures plus petites. » En l'occurrence, la nouvelle fonction dont, Ben Abbes venait de s'en aviser, l'attribution à un niveau trop large « perturbait l'ordre convenable », n'était autre que la solidarité sociale. Quoi de plus beau, s'était-il ému dans son dernier discours, que la solidarité lorsqu'elle s'exerce dans le cadre chaleureux de la cellule familiale !... Le « cadre chaleureux de la cellule familiale » était encore largement, à ce stade, un *programme* ; mais, plus concrètement, le nouveau projet de budget du gouvernement prévoyait sur trois ans une diminution de 85 % des dépenses sociales du pays.

Le plus étonnant était que la magie hypnotique qu'il répandait depuis le début continuait à opérer, et que ses projets ne rencontraient aucune opposition sérieuse. La gauche avait toujours eu cette capacité de faire accepter des réformes antisociales qui auraient été vigoureusement rejetées, venant de la droite ; mais c'était encore bien davantage le cas, semblait-il, du parti musulman. Dans les pages internationales, j'appris par ailleurs que les négociations avec l'Algérie et la Tunisie en vue de leur adhésion à l'Union européenne avançaient rapidement, et que ces deux pays devraient avant la fin de l'année prochaine rejoindre le Maroc au sein de l'Union ; des premiers contacts avaient été pris avec le Liban et l'Égypte.

Mon voyage commença à prendre un tour un peu plus favorable à la gare de Poitiers. Il y avait des taxis en nombre suffisant, et le chauffeur ne parut nullement surpris lorsque je lui annonçai que je me rendais à l'abbaye de Ligugé. C'était un homme d'une cinquantaine d'années, corpulent, au regard réfléchi et doux ; il conduisait très prudemment son monospace Toyota. Des gens venaient du monde entier toutes les semaines pour séjourner dans le plus vieux monastère chrétien d'Occident, m'apprit-il ; pas plus tard que la semaine dernière, il avait chargé un acteur américain célèbre – il n'arrivait plus à se souvenir de son nom, mais il était certain de l'avoir déjà vu dans des films ; une brève enquête établit qu'il pouvait, probablement mais pas certainement, s'agir de Brad Pitt.

Mon séjour devrait être agréable, présumait-il : l'endroit était calme, la nourriture délicieuse. Je me rendis compte au moment où il le disait que non seulement il le pensait mais qu'il le souhaitait, qu'il faisait partie de ces gens finalement pas si nombreux qui se réjouissent a priori du bonheur de leurs semblables, en bref que c'était ce qu'on appelle un *brave homme*.

Dans le hall d'entrée du monastère s'ouvrait, sur la gauche, la boutique où l'on pouvait acheter les produits de l'artisanat monastique – mais elle était, pour l'instant, fermée ; et le bureau d'accueil, sur la droite, était vide. Une petite pancarte indiquait que l'on pouvait sonner en cas d'absence, mais qu'il fallait, hors cas d'extrême urgence, s'abstenir de le faire pendant les offices. L'horaire des offices était précisé, mais pas leur durée : après un calcul assez long, en interpolant avec l'heure des repas, je conclus que, pour que tout tienne dans une journée, la durée unitaire d'un office ne devait probablement pas dépasser la demi-heure. Un calcul plus bref m'apprit que l'on devait, en ce moment précis, se situer entre les offices de sexte et de none ; je pouvais donc sonner.

Quelques minutes plus tard, un moine de stature élevée, vêtu d'un froc noir, apparut ; il sourit largement en m'apercevant. Son visage au front haut était entouré de petites boucles de cheveux châtains, à peine grisonnants, et d'un collier de barbe également châtain, je lui donnais tout au plus cinquante ans. « Je suis frère Joël, c'est moi qui ai répondu à votre e-mail » dit-il avant de prendre d'autorité mon sac de voyage, « je vais vous conduire à votre chambre ». Il se tenait très droit, portait sans aucune difficulté mon sac pourtant lourd, enfin il paraissait en pleine forme physique. « Nous sommes très heureux de vous revoir, poursuivit-il, cela fait déjà plus de vingt ans, n'est-ce pas ? » Je dus le regarder avec une expression d'incompréhension totale, parce qu'il demanda : « Vous avez bien été notre hôte il y a une vingtaine d'années, n'est-ce pas ? À l'époque, vous écriviez sur Huysmans ? » C'était vrai, mais j'étais stupéfait qu'il se souvienne de moi, pour ma part son visage ne m'évoquait absolument rien.

« Vous êtes ce qu'on appelle le frère hôtelier, c'est ça ?

— Non non, pas du tout, mais je l'étais à l'époque. C'est une fonction qui est souvent occupée par les jeunes moines – enfin, jeunes dans la vie monastique. Le frère hôtelier est amené à parler à nos hôtes, il est encore en contact avec le monde ; être frère hôtelier, c'est comme une espèce de sas, de palier intermédiaire accordé au moine avant qu'il ne plonge dans sa vocation de silence. Pour ma part, je suis resté frère hôtelier un peu plus d'un an. »

Nous longions un édifice Renaissance assez beau, bordé par un parc ; un soleil éblouissant, hivernal, étincelait dans les allées jonchées de feuilles mortes. Plus loin s'étendait une église à peu près aussi haute que le cloître, d'un gothique tardif. « C'est l'ancienne église du couvent, celle qu'a connue Huysmans... »

me dit frère Joël. « Mais après la dispersion de la communauté provoquée par les lois Combes, lorsque nous avons réussi à nous reformer, nous n'avons pas réussi à la récupérer, contrairement aux bâtiments du cloître. Il a fallu en bâtir une nouvelle dans l'enceinte du monastère. » Nous fîmes halte devant une petite construction d'un étage, dans le même style Renaissance. « C'est notre hôtellerie, c'est là que vous logerez... » poursuivit-il. Au même instant, un moine trapu d'une quarantaine d'années, vêtu lui aussi d'un froc noir, apparut en courant à l'extrémité de l'allée. Vif, d'une calvitie presque luisante sous le soleil, il donnait une impression d'enjouement et de compétence extrêmes ; il faisait penser à un ministre des Finances, ou mieux encore à un ministre du Budget, enfin personne n'aurait hésité à lui confier des responsabilités importantes, me semblait-il. « Et voici frère Pierre, notre nouveau frère hôtelier, c'est à lui que vous aurez affaire pour tous les aspects pratiques de votre séjour... » m'annonça frère Joël. « Moi, j'étais uniquement venu vous saluer. » Sur ces mots il s'inclina très bas devant moi, me serra la main et repartit vers le cloître.

« Vous êtes venu en TGV ? » s'enquit le frère hôtelier ; je confirmai. « Oui, c'est vraiment rapide, en TGV », poursuivit-il, manifestement désireux d'engager la conversation sur des bases consensuelles. Puis, prenant mon sac de voyage, il me conduisit jusqu'à ma chambre : carrée, d'environ trois mètres de côté, elle était tapissée d'un papier peint natté gris clair, le sol était recouvert d'une moquette assez pelée d'un gris moyen. Le seul ornement était un grand crucifix de bois sombre, au-dessus du petit lit à une place. Je remarquai tout de suite que le lavabo ne comportait pas de mitigeur ; je remarquai aussi la présence, au plafond, d'un détecteur de fumée. J'affirmai à frère Pierre que cette chambre me conviendrait parfaitement, mais je savais déjà que ce serait faux. Lorsqu'il s'interroge, parfois interminablement, dans *En route*, sur le fait de savoir s'il supportera la vie monastique, un des arguments négatifs retenus par Huysmans était qu'on l'empêcherait vraisemblablement, à l'intérieur des bâtiments, de fumer. C'était ce genre de phrases qui, depuis toujours, m'avait fait l'aimer ; comme ce passage aussi où il déclare qu'une des seules pures joies de la vie sur cette terre consiste à s'installer, seul, dans son lit, avec à portée de la main une pile de bons bouquins et un paquet de tabac. Sans doute, sans doute ; mais il n'avait pas connu les détecteurs de fumée.

Sur un bureau de bois assez bancal reposaient une Bible, un mince opuscule – dû à dom Jean-Pierre Longeat – sur le sens d'une retraite en monastère (il était précisé : « Ne pas emporter ») et une feuille d'informations qui comportait, pour l'essentiel, l'horaire des offices et des repas. Un bref coup d'œil m'apprit qu'il était presque l'heure de l'office de none, mais je décidai, pour cette première journée, de m'en abstenir : sa symbolique n'était pas fulgurante, les offices de tierce, de sixte et de none avaient pour vocation la « remise en présence de Dieu tout au long de la journée ». Il y avait sept offices par jour, en plus de la messe quotidienne ; par rapport à l'époque de Huysmans, là, rien n'avait changé, le seul allégement était que l'office de vigiles, qui se déroulait auparavant à deux heures du matin, avait été avancé à vingt-deux heures. Lors de mon premier séjour j'avais beaucoup aimé cet office composé de longs psaumes méditatifs, en plein cœur de la nuit, aussi éloigné des complies (et de l'adieu au jour) que des laudes saluant une aurore nouvelle ; cet office d'attente pure, d'espérance ultime sans raison d'espérer. Évidemment, en plein hiver, à l'époque où l'église n'était même pas chauffée, ça n'avait pas dû être un office facile.

Ce qui m'impressionnait le plus était que frère Joël m'ait reconnu, à plus de vingt ans de distance. Il ne devait pas y avoir eu beaucoup d'événements pour lui, dans cet intervalle, depuis qu'il avait quitté ses fonctions de frère hôtelier. Il avait travaillé dans les ateliers du monastère, il avait assisté aux offices quotidiens. Sa vie avait été paisible, et probablement heureuse ; elle offrait un vif contraste avec la mienne.

Je fis ensuite une longue promenade dans le parc, fumant de nombreuses cigarettes, en attendant l'office de vêpres, qui précédait immédiatement le repas. Le soleil était de plus en plus éblouissant, faisait scintiller le givre, allumait des lueurs blondes sur la pierre des édifices, écarlates sur le tapis de feuilles. Le sens de ma présence ici avait cessé de m'apparaître clairement ; il m'apparaissait parfois, faiblement, puis disparaissait presque aussitôt ; mais il n'avait, à l'évidence, plus grand-chose à voir avec Huysmans.

Au cours des deux journées qui suivirent je m'accoutumai à cette litanie des offices, sans pour autant parvenir véritablement à l'aimer. La messe était le seul élément reconnaissable, le seul point de contact avec la dévotion telle qu'on l'entend dans le monde extérieur. Pour le reste, il s'agissait de la lecture et du chant de psaumes appropriés au moment de la journée, parfois entrecoupés de brèves lectures de textes sacrés, effectuées par l'un des moines – lectures qui accompagnaient également les repas, pris en silence. L'église moderne, construite dans l'enceinte du monastère, était d'une laideur sobre – elle rappelait un peu, par son architecture, le centre commercial Super-Passy de la rue de l'Annonciation, et ses vitraux, simples taches abstraites et colorées, ne méritaient guère d'attention ; mais tout cela n'avait pas beaucoup d'importance à mes yeux : je n'étais pas un esthète, infiniment moins que Huysmans, et l'uniforme laideur de l'art religieux contemporain me laissait à peu près indifférent. Les voix des moines s'élevaient dans l'air glacé, pures, humbles et bénignes ; elles étaient pleines de douceur, d'espérance et d'attente. Le seigneur Jésus devait revenir, il revenait bientôt, et déjà la chaleur de sa présence emplissait de joie leurs âmes, tel était au fond le thème unique de ces chants, chants d'attente organique et douce. Nietzsche avait vu juste, avec son flair de vieille pétasse, le christianisme était au fond une religion féminine.

Tout cela aurait pu me convenir, mais c'est de retour dans ma cellule que les choses se gâtaient pour moi ; le détecteur de fumée me fixait de son petit œil rouge, hostile. J'allais parfois fumer à la fenêtre, pour constater que les choses s'étaient, là aussi, détériorées depuis Huysmans : la ligne de TGV passait à l'extrémité du parc, à deux cents mètres à vol d'oiseau, les trains étaient encore à pleine vitesse et le vacarme des motrices sur les rails rompait, plusieurs fois toutes les heures, le silence méditatif de l'endroit. Mais le froid devenait de plus en plus intense, et chacune de ces stations à la fenêtre me conduisait à me blottir ensuite, pendant de longues minutes, contre le radiateur de la chambre. Mon humeur aigrissait, et la prose de dom Jean-Pierre Longeat, certainement un excellent moine, plein de bonnes intentions et d'amour, m'exaspérait de plus en plus. « La vie devrait être un constant échange amoureux, que l'on soit dans l'épreuve ou que l'on soit dans la joie », écrivait le frère, « profite donc de ces quelques jours pour travailler cette capacité à aimer et à te laisser aimer en paroles et en actes. » T'es hors sujet Ducon, je suis seul dans ma chambre, narquoyais-je avec fureur. « Tu es là pour poser tes bagages et faire un voyage en toi, en ce lieu source où s'exprime la force du désir », écrivait-il encore. Mon désir c'est tout vu, fulminais-je, c'est juste de me fumer une clope, tu vois j'en suis là Ducon, il est là mon lieu source. Je ne me sentais peut-être pas, contrairement à Huysmans, le cœur « racorni et fumé par les noces » ; mais les poumons racornis et fumés par le tabac, ça oui, sans aucun doute.

« Entends, goûte et bois, pleure et chante, frappe à la porte de l'amour ! » s'exclamait l'extatique Longeat. Au matin du troisième jour je compris qu'il fallait que je parte, ce séjour ne pouvait être qu'un échec. Je m'ouvris à frère Pierre de responsabilités professionnelles absolument imprévues, d'une ampleur littéralement incroyable, qui m'obligeaient hélas à écourter mon cheminement. Avec sa tête de Pierre Moscovici je savais qu'il allait me croire, et peut-être avait-il été une sorte de Pierre Moscovici lui-même, dans une vie immédiatement antérieure, enfin entre Pierre Moscovicis on pouvait s'entendre, je savais que ça allait bien se passer entre nous. Il exprima cependant le souhait, au moment où nous nous quittâmes dans le hall d'accueil du monastère, que mon chemin parmi eux ait été un chemin de lumière. Je dis que oui sans problème, ça s'était super bien passé, mais je me sentis à ce moment un peu en deçà de ses attentes.

Pendant la nuit, une zone dépressionnaire en provenance de l'Atlantique avait abordé la France par le quart Sud-Ouest, la température avait remonté de dix degrés ; un brouillard dense recouvrait la campagne autour de Poitiers. J'avais commandé le taxi très en avance, il me restait à peu près une heure à tuer ; je la passai au *Bar de l'Amitié*, dont l'entrée était à moins d'une cinquantaine de mètres du monastère, à descendre machinalement des Leffe et des Hoegaarden. La serveuse était mince et trop maquillée, les clients parlaient fort – d'immobilier et de vacances, essentiellement. Je n'éprouvais aucune satisfaction à me retrouver au milieu de mes semblables.

V

« *Si l'islam n'est pas politique, il n'est rien.* »

(Ayatollah Khomeyni)

À la gare de Poitiers, il fallut que je change mon billet de train. Le prochain TGV pour Paris était presque complet, je payai le supplément pour accéder à l'espace TGV Pro Première. C'était d'après la SNCF un univers privilégié, qui garantissait une connexion Wifi sans failles, des tablettes plus larges pour disposer ses documents de travail, des prises électriques pour éviter de se retrouver sottement en panne de laptop ; à part ça, c'était une première normale.

Je trouvai une place isolée, sans vis-à-vis, et dans le sens de la marche. De l'autre côté du couloir, un homme d'affaires arabe d'une cinquantaine d'années, vêtu d'une longue djellaba blanche et d'un keffieh également blanc, qui devait venir de Bordeaux, avait étalé plusieurs dossiers à côté de son ordinateur sur les tablettes à sa disposition. Face à lui, deux jeunes filles à peine sorties de l'adolescence – sans doute ses épouses – avaient fait une razzia de confiseries et de magazines au *Relay*. Elles étaient vives et rieuses, portaient de longues robes et des voiles multicolores. Pour l'instant l'une était plongée dans *Picsou Magazine*, l'autre dans *Oops*.

L'homme d'affaires, de son côté, donnait l'impression d'être confronté à des soucis considérables ; ouvrant sa boîte mail, il téléchargea une pièce jointe qui contenait de nombreux tableaux Excel ; l'examen de ces documents sembla encore augmenter son inquiétude. Il composa un numéro sur son portable et s'engagea dans une longue conversation à voix basse, je ne comprenais pas de quoi il était question et je tentai sans grand enthousiasme de me plonger dans la lecture du *Figaro*, qui abordait le nouveau régime venant de s'installer en France sous l'angle de l'immobilier et du luxe. De ce point de vue, la situation était extrêmement prometteuse : comprenant qu'ils avaient dorénavant affaire à un pays ami, les ressortissants des monarchies du Golfe se montraient de plus en plus désireux de s'offrir un pied-à-terre à Paris ou sur la Côte d'Azur, surenchérissaient par rapport aux Chinois et aux Russes, en bref le marché se portait bien.

Avec de grands éclats de rire, les deux jeunes filles arabes s'étaient plongées dans le jeu des sept erreurs de *Picsou Magazine*. Levant les yeux de son tableur, l'homme d'affaires leur adressa un sourire de reproche douloureux. Elles lui sourirent en retour, continuèrent sur le mode du chuchotement excité. Il s'empara à nouveau de son portable et s'engagea dans une nouvelle conversation, tout aussi longue et confidentielle que la première. En régime islamique, les femmes – enfin, celles qui étaient suffisamment jolies pour éveiller le désir d'un époux riche – avaient au fond la possibilité de rester des enfants pratiquement toute leur vie. Peu après être sorties de l'enfance elles devenaient elles-mêmes mères, et replongeaient dans l'univers enfantin. Leurs enfants grandissaient, puis elles devenaient grands-mères, et leur vie se passait ainsi. Il y avait juste quelques années où elles achetaient des dessous sexy, troquant les jeux enfantins pour des jeux sexuels – ce qui revenait au fond à peu près à la même chose. Évidemment elles perdaient l'autonomie, mais *fuck autonomy*, j'étais bien obligé de convenir pour ma part que j'avais renoncé avec facilité, et même avec un vrai soulagement, à toute responsabilité d'ordre professionnel ou intellectuel, et que je n'enviais pas du tout cet homme d'affaires, assis de l'autre côté du couloir de notre compartiment de TGV Pro Première, dont le visage devenait presque gris d'angoisse à mesure que se poursuivait sa conversation téléphonique, il filait visiblement un mauvais coton – notre train venait, à l'instant, de dépasser la gare de Saint-Pierre-des-Corps. Au moins aurait-il eu la compensation de deux épouses gracieuses et charmantes, pour le distraire de ses soucis d'homme d'affaires épuisé – et peut-être en avait-il une ou deux autres à Paris, il me semblait me souvenir que le nombre maximum était de quatre, selon la charia. Mon père, lui, avait eu... ma mère, cette putain névrosée. Je frissonnai à cette idée. Enfin elle était morte maintenant, ils étaient morts tous les deux ; je demeurais, seul témoignage vivant – quoique un peu fatigué ces derniers temps – de leur amour.

La température s'était également radoucie à Paris, mais un peu moins, une pluie fine et froide s'abattait sur la ville ; la circulation était très dense rue de Tolbiac, qui me parut inhabituellement longue, jamais me semblait-il je n'avais traversé de rue aussi longue, aussi morne, ennuyeuse et interminable. Je n'attendais rien de précis de mon retour, juste des ennuis variés. Pourtant, à ma grande surprise, il y avait une lettre dans ma boîte – enfin quelque chose qui n'était ni une publicité, ni une facture, ni une demande de renseignements administratifs. Je jetai un regard dégoûté à mon salon, incapable d'échapper à cette évidence que je n'éprouvais aucun plaisir particulier à l'idée de rentrer chez moi, dans cet appartement où personne ne s'aimait, et que personne n'aimait. Je me servis un grand verre de calvados avant d'ouvrir la lettre.

Elle était signée par Bastien Lacoue, qui avait apparemment il y a quelques années – l'information m'avait alors échappé – succédé à Hugues Pradier à la tête des éditions de la Pléiade. Il y faisait d'abord remarquer que Huysmans, par une omission inexplicable, n'était pas encore entré dans le catalogue des éditions de la Pléiade, alors qu'il faisait de toute évidence partie du corpus des classiques de la littérature française ; là, je ne pouvais qu'être d'accord. Il poursuivait en affirmant sa conviction que si l'édition des œuvres de Huysmans dans la Pléiade devait être confiée à quelqu'un, ce ne pouvait être, en raison de l'excellence universellement reconnue de mes travaux, qu'à moi.

Ce n'était pas le genre de proposition qu'on refuse. Enfin on peut évidemment refuser, mais alors c'est renoncer à toute forme d'ambition intellectuelle ou sociale – à toute forme d'ambition tout court. Y étais-je vraiment prêt ? Il me fallait bien un deuxième verre de calvados pour réfléchir à la question. Après réflexion, il me parut même plus prudent de redescendre acheter une bouteille.

J'obtins très facilement un rendez-vous avec Bastien Lacoue, deux jours plus tard. Son bureau était exactement tel que je l'avais imaginé, vieillot à dessein, accessible par trois étages d'un escalier de bois raide, avec vue sur des jardins intérieurs mal tenus. Lui-même était un intellectuel de type courant, avec des petites lunettes ovales sans monture, plutôt jovial, l'air satisfait de lui-même, du monde et de la position qu'il y tenait.

J'avais eu le temps de préparer un peu l'entretien, et suggérai une répartition des œuvres de Huysmans en volumes, le premier regroupant

les œuvres depuis *Le drageoir à épices* jusqu'à
La retraite de monsieur Bougran (je retenais
1888 comme date de composition la plus probable), le second consacré au cycle Durtal,
depuis *Là-bas* jusqu'à *L'oblat*, en y ajoutant bien
entendu *Les foules de Lourdes*. Cette répartition
simple, logique et même évidente ne pouvait
pas soulever de difficulté. La question des notes
était comme toujours plus épineuse. Certaines
éditions pseudo-savantes avaient cru bon de
consacrer des notes d'information aux innom-
brables auteurs, musiciens et peintres cités par
Huysmans. Cela me paraissait parfaitement
inutile, même en reléguant ces notes en fin
de volume. Outre qu'elles risquaient d'alour-
dir énormément l'ouvrage, on ne parviendrait
jamais à déterminer si l'on en disait trop – ou
pas assez – sur Lactance, Angèle de Foligno
ou Grünewald ; les gens qui voulaient en savoir
plus n'avaient qu'à se documenter par eux-
mêmes, et voilà tout. Et en ce qui concerne
les relations de Huysmans avec les écrivains de
son temps – Zola, Maupassant, Barbey d'Aure-
villy, Gourmont ou Bloy – c'était à mon avis le
rôle de la préface de les expliciter. Là encore,
Lacoue se rangea immédiatement à mon avis.

Les mots difficiles et les néologismes
employés par Huysmans justifiaient par contre
amplement le recours à un appareil de notes
– que j'imaginais plutôt comme des notes de
bas de page, pour ne pas ralentir à l'excès la
lecture. Il acquiesça avec enthousiasme. « Vous
avez déjà accompli un travail considérable à cet
égard, dans votre *Vertiges des néologismes* ! »

lança-t-il avec gaieté. Je levai la main droite d'un geste plein de réserve, affirmant que je n'avais au contraire, dans l'ouvrage qu'il avait la bonté de citer, fait qu'effleurer la question ; le quart tout au plus du corpus linguistique huysmansien y était abordé. Il leva de son côté le bras gauche, dans un geste plein d'apaisement : naturellement, il ne voulait en aucun cas sous-estimer le travail considérable que j'aurais, pour l'élaboration de cette édition, à accomplir ; aucune date de terminaison n'était d'ailleurs pour l'heure établie, je devais me sentir tout à fait à l'aise là-dessus.

« Oui, vous travaillez pour l'éternité...

— C'est toujours un peu prétentieux de l'affirmer ; mais enfin oui, c'est notre ambition, en tout cas. »

Il y eut un petit moment de silence après cette déclaration, faite avec la pointe d'onction nécessaire ; ça se passait bien, je trouve, nous fusionnions autour de valeurs communes, ça allait baigner dans l'huile, cette Pléiade.

« Robert Rediger a beaucoup regretté votre départ de la Sorbonne après le... le changement de régime, si l'on peut dire » reprit-il d'une voix plus douloureuse. « Je le sais parce que c'est un ami. Un ami personnel » ajouta-t-il avec une pointe de défi. « Certains enseignants, de très bon niveau, sont restés. D'autres, de très bon niveau également, sont partis. Chacun de ces départs, dont le vôtre, a été pour lui une blessure personnelle » conclut-il avec un peu de brusquerie, comme si les devoirs de la courtoisie et ceux de l'amitié venaient, en lui, de se livrer une lutte difficile.

Je n'avais absolument rien à répondre à cela, et il finit par s'en rendre compte, après un silence d'environ une minute. « Enfin, je suis très heureux que vous ayez accepté mon petit projet ! » s'exclama-t-il en se frottant les mains, comme s'il s'agissait d'une aimable farce que nous venions de jouer au monde savant. « Voyez-vous, il me paraissait absolument anormal et regrettable qu'un homme comme vous... un homme de votre niveau, je veux dire, se retrouve d'un seul coup sans enseignement, sans publications, sans rien ! » Après ces derniers mots, conscient que son ton avait peut-être été un peu trop dramatique, il se leva imperceptiblement de son siège ; je me levai à mon tour, avec plus de vivacité.

Sans doute afin de donner au pacte que nous venions de sceller davantage de lustre, Lacoue me raccompagna non seulement jusqu'à sa porte, mais descendit avec moi ses trois étages (« Attention, les marches sont plutôt rudes ! »), puis, à travers les couloirs (« C'est un dédale ! » lança-t-il avec humour ; pas tellement en fait, il y avait deux couloirs qui se croisaient à angle droit, et on arrivait directement au hall d'accueil), jusqu'à la sortie des éditions Gallimard, rue Gaston-Gallimard. L'air était redevenu plus froid et plus sec, et je me rendis compte alors que nous n'avions à aucun moment abordé la question de la rémunération. Comme s'il venait de lire dans mes pensées, il approcha alors une main de mon épaule – sans toutefois la toucher – en glissant : « Je vous ferai passer une proposition de contrat dans les prochains jours. » Il ajouta, sans vraiment reprendre son souffle : « Et puis, samedi prochain, il y a une petite réception qui est donnée en l'honneur de la réouverture de la Sorbonne. Je vous ferai poster une invitation aussi. Je sais que ça ferait très plaisir à Robert si vous pouviez vous libérer. » Cette fois, il me tapota carrément l'épaule avant de me serrer la main. Il avait prononcé les dernières phrases avec une sorte d'élan léger, comme s'il venait tout à fait à l'improviste d'y songer, mais j'eus la sensation à ce moment que c'étaient ces dernières phrases, en réalité, qui expliquaient et justifiaient tout le reste.

La réception débutait à dix-huit heures, et elle avait lieu au dernier étage de l'Institut du monde arabe, privatisé pour l'occasion. J'étais un peu inquiet en remettant mon carton à l'entrée : qui allais-je bien pouvoir rencontrer ? Des Saoudiens sans nul doute, le carton garantissait la présence d'un prince saoudien dont j'avais parfaitement reconnu le nom, c'était le principal bailleur de fonds de la nouvelle université Paris-Sorbonne. Probablement aussi mes anciens collègues, enfin ceux qui avaient accepté de travailler dans la nouvelle structure – mais je n'en connaissais aucun à l'exception de Steve, et Steve était bien la dernière personne que j'avais envie de rencontrer en ce moment.

J'en reconnus pourtant un, d'ancien collègue, dès que j'eus fait quelques pas dans la grande salle éclairée par des lustres, enfin je le connaissais personnellement à peine, nous avions dû nous parler une ou deux fois, mais Bertrand de Gignac jouissait d'une renommée mondiale dans le domaine de la littérature médiévale, il donnait régulièrement des conférences à

Columbia et à Yale, et il était l'auteur de l'ouvrage de référence sur la *Chanson de Roland*. C'était au fond le seul véritable succès dont le président de la nouvelle université pouvait, en termes de recrutement, se prévaloir. Mais à part ça je n'avais au fond pas grand-chose à lui dire, le domaine de la littérature médiévale demeurait pour moi une terre largement inconnue ; j'acceptai donc avec sagesse quelques mezzes – ils étaient excellents, les chauds comme les froids, et le vin rouge libanais qui les accompagnait n'était pas mal du tout.

Je n'avais pourtant pas le sentiment que la réception était un franc succès. Des petits groupes de trois à six personnes – Arabes et Français mélangés – circulaient dans la salle magnifiquement décorée en échangeant de rares paroles. La musique arabo-andalouse, lancinante et sinistre, diffusée par les haut-parleurs, ne contribuait pas à améliorer l'ambiance, mais le problème n'était pas là, et je compris subitement, après trois quarts d'heure de déambulation au milieu de l'assistance, après une dizaine de mezzes et quatre verres de vin rouge, ce qui n'allait pas : il n'y avait que des hommes. Aucune femme n'avait été conviée, et le maintien d'une vie sociale acceptable en l'absence de femmes – et sans le support du foot, qui aurait été inapproprié dans ce contexte malgré tout universitaire – était une gageure bien difficile à tenir.

Immédiatement après j'aperçus Lacoue, au milieu d'un groupe plus dense qui s'était réfugié dans un coin de la salle, composé à part lui d'une dizaine d'Arabes et de deux autres Français. Tous parlaient avec une vive animation, hormis un homme d'une cinquantaine d'années, au nez fortement busqué, au visage gras et sévère. Il était simplement vêtu, d'une longue djellaba blanche, mais je compris immédiatement que c'était l'homme le plus important du groupe, et probablement le prince lui-même. Ils émettaient tour à tour, avec véhémence, ce qui semblait être des justifications, lui seul gardait le silence, hochant la tête de temps à autre, mais son visage demeurait fermé, enfin il y avait visiblement un problème mais qui ne me concernait pas, je rebroussai chemin, acceptai un samboussek au fromage et un cinquième verre de vin.

Un homme âgé, maigre, de très haute taille, à la longue barbe clairsemée, s'approcha du prince, qui s'écarta pour lui parler seul à seul. Privé de son centre, le groupe se dispersa aussitôt. Errant au hasard dans la salle en compagnie d'un des autres Français, Lacoue m'aperçut et vint avec moi en me faisant un vague signe. Il n'avait vraiment pas l'air dans son assiette et fit les présentations de manière presque inaudible, je ne compris même pas le nom de son compagnon aux cheveux qui paraissaient gominés, ramenés sur l'arrière du crâne avec beaucoup de soin, et vêtu d'un magnifique costume trois pièces bleu nuit parcouru verticalement d'imperceptibles rayures blanches, le tissu légèrement brillant paraissait d'une douceur extrême, ça devait être de la soie, j'avais envie de le toucher mais je me retins de justesse.

Le problème, c'est que le prince était horriblement vexé parce que le ministre de l'Éducation nationale n'était pas venu à la réception, contrairement à ce qui leur avait été formellement promis. Et non seulement le ministre n'était pas là mais il n'y avait aucun représentant du ministère, absolument personne, « même pas le secrétaire d'état aux Universités... », conclut-il avec désarroi.

« Il n'y a plus de secrétaire d'état aux Universités depuis le dernier remaniement, je vous l'ai déjà dit ! » le coupa son compagnon avec agacement. Pour lui, la situation était encore plus grave que Lacoue ne le pensait : le ministre avait bel et bien l'intention de venir, il le lui avait confirmé pas plus tard que la veille, mais c'était le président Ben Abbes lui-même qui était intervenu pour l'en dissuader, et cela dans le but tout à fait explicite d'humilier les Saoudiens. Ce qui allait dans le même sens que d'autres mesures récentes, beaucoup plus fondamentales, telles que la relance du programme nucléaire civil et le développement des aides à la voiture électrique : il s'agissait pour le gouvernement d'obtenir à brève échéance une indépendance énergétique totale par rapport au pétrole saoudien ; évidemment ça ne faisait pas les affaires de l'université islamique Paris-Sorbonne, mais c'était surtout son président, me semblait-il, qui aurait dû s'en préoccuper, et à ce moment je vis Lacoue se tourner vers un homme d'une cinquantaine d'années qui venait d'entrer dans la salle et se dirigeait vers nous à pas rapides. « Voilà Robert ! » lança-t-il avec un soulagement énorme, comme s'il accueillait le Messie.

Il prit quand même le temps de me présenter, de manière audible cette fois-ci, avant de le mettre au courant de la situation. Rediger me serra la main avec énergie, la broyant presque entre ses paumes puissantes, en m'assurant qu'il était très heureux de me rencontrer, qu'il attendait ce moment depuis longtemps. Physiquement, il était assez remarquable : très grand, sans doute un peu plus d'un mètre quatre-vingt-dix, il était également très costaud, une poitrine large, une musculature bien développée, il avait davantage un physique de pilier de rugby que d'enseignant universitaire, à vrai dire. Son visage bronzé, sillonné de rides profondes, était surmonté de cheveux entièrement blancs mais très fournis, coupés en brosse. Il était vêtu, de manière assez inhabituelle, d'un jean et d'un blouson aviateur de cuir noir.

Lacoue lui expliqua rapidement le problème ; Rediger hocha la tête, grommela qu'il avait subodoré une embrouille de ce genre, puis, après une réflexion de quelques secondes, conclut : « Je vais appeler Delhommais. Il saura quoi faire. » Puis il sortit de son blouson un minuscule portable en coquille, presque féminin, qui semblait minuscule dans sa paume, et s'écarta de quelques mètres pour composer un numéro. Lacoue et son compagnon le regardaient sans oser s'approcher, paralysés dans une attente angoissée, ils commençaient à m'emmerder un peu avec leurs histoires et surtout je les trouvais complètement cons, évidemment il fallait caresser les pétrodollars dans le sens du poil si l'on peut dire mais enfin il aurait suffi de prendre n'importe quel comparse et de le présenter pas comme le ministre on l'avait vu à la télé mais comme son directeur de cabinet, l'autre pantin en costume trois pièces sans chercher plus loin aurait fait un directeur de cabinet parfait, et les Saoudiens n'y auraient vu que du feu, vraiment ils se compliquaient la vie pour pas grand-chose, enfin c'était leur problème, j'acceptai un dernier verre de vin et je sortis sur la terrasse, la vue sur Notre-Dame illuminée était vraiment magnifique, la température s'était encore radoucie et la pluie avait cessé, la lumière lunaire jouait sur les flots de la Seine.

Je dus demeurer longtemps dans cette contemplation, et quand je revins dans la salle l'assistance s'était clairsemée, tout en restant bien sûr exclusivement masculine, je n'apercevais ni Lacoue ni costume-trois-pièces. Bon, je n'étais pas venu tout à fait pour rien, me dis-je en ramassant le prospectus du traiteur libanais, ils étaient vraiment bons leurs mezzes, en plus ils livraient à domicile, ça pourrait me changer de l'indien. Au moment où je demandais mon vestiaire, Rediger s'approcha de moi. « Vous partez ?... » demanda-t-il en écartant légèrement les bras d'un air navré. Je lui demandai s'ils avaient réussi à résoudre leur problème protocolaire. « Oui, j'ai finalement pu arranger l'affaire. Le ministre ne viendra pas ce soir, mais il a téléphoné personnellement au prince, et l'a convié à un petit déjeuner de travail demain matin au ministère. Cela dit Schrameck avait raison, j'en ai peur : c'était bel et bien une humiliation délibérée de la part de Ben Abbes, qui réactive de plus en plus ses amitiés de jeunesse avec les Qataris. Bref, on n'est pas tout à fait au bout de nos peines. Enfin... » Il secoua sa main droite comme pour chasser ce sujet importun, la posa sur mon épaule. « Mais je suis vraiment désolé que ce petit souci nous ait empêchés de parler tous les deux. Il faut que vous veniez prendre le thé chez moi un jour, pour que nous ayons un peu plus de temps... » Il me sourit brusquement ; il avait un sourire charmant, très ouvert, presque enfantin, extrêmement surprenant chez un homme d'allure si virile ; je pense qu'il le savait, et qu'il savait s'en servir. Il me tendit sa carte. « Si nous disions mercredi prochain, vers dix-sept heures ? Vous seriez libre ? » Je répondis que oui.

Une fois dans le métro, j'examinai la carte de visite de ma nouvelle relation ; elle paraissait élégante et de bon goût, pour autant que j'y connaisse quelque chose. Rediger disposait d'un numéro de téléphone personnel, de deux numéros de téléphone professionnels, de deux numéros de fax (l'un personnel, l'autre professionnel), de trois adresses Internet aux attributions mal définies, de deux numéros de portable (l'un français, l'autre anglais) et d'un identifiant Skype ; voilà un homme en tout cas qui se donnait les moyens d'être joint. Décidément, après Lacoue, je me mettais à évoluer dans les hautes sphères, c'en devenait presque inquiétant.

Il disposait d'une adresse, aussi, au 5, rue des Arènes, et c'était la seule information dont j'allais avoir besoin pour le moment. Il me semblait me souvenir de la rue des Arènes comme d'une petite rue charmante qui donnait sur le square des arènes de Lutèce, lui-même un des coins les plus charmants de Paris. Il y avait là des boucheries, des fromageries recommandées par Petitrenaud et par Pudlowski – quant aux produits italiens, n'en parlons pas. Tout cela était rassurant à l'extrême.

Au métro Place Monge, j'eus la mauvaise idée de prendre la sortie « Arènes de Lutèce ». Certes, sur le plan topographique, c'était justifié, je débouchais directement rue des Arènes ; mais j'avais oublié que cette sortie n'avait pas d'ascenseur, et que le métro Place Monge se situait cinquante mètres en dessous du niveau de la rue, j'étais complètement épuisé et hors d'haleine lorsque je débouchai de cette curieuse bouche de métro, creusée dans les murs d'enceinte du jardin, avec ses colonnades épaisses et sa typographie d'inspiration cubiste, dont l'apparence générale néo-babylonienne était parfaitement incongrue à Paris – et l'aurait été, d'ailleurs, à peu près n'importe où en Europe.

Je m'en rendis compte en arrivant au 5, rue des Arènes, Rediger n'habitait pas seulement dans une rue charmante du cinquième arrondissement, il habitait une *maison particulière* dans une rue charmante du cinquième arrondissement, et mieux encore il habitait une maison particulière *historique*. Le numéro 5 n'était autre que cette invraisemblable construction néo-gothique, flanquée d'une tourelle carrée voulant évoquer un donjon d'angle, où Jean Paulhan avait vécu de 1940 à sa mort en 1968. À titre personnel je n'avais jamais pu supporter Jean Paulhan, son côté *éminence grise* aussi bien que ses œuvres, mais il fallait bien reconnaître qu'il avait été l'un des personnages les plus puissants de l'édition française d'après-guerre ;

et qu'il avait vécu dans une très belle maison. Mon admiration pour les moyens financiers mis à disposition de la nouvelle université par l'Arabie saoudite ne faisait que croître.

Je sonnai et fus accueilli par un majordome dont le costume blanc crème, avec une veste à col Mao, évoquait un peu l'habillement de l'ancien dictateur Kadhafi. Je me présentai, il s'inclina légèrement, j'étais en effet attendu. Il me demanda de patienter dans un petit hall éclairé de vitraux pendant qu'il allait prévenir le professeur Rediger.

J'attendais depuis deux à trois minutes lorsqu'une porte s'ouvrit sur la gauche et qu'une fille d'une quinzaine d'années, vêtue d'un jean taille basse et d'un tee-shirt Hello Kitty, entra dans la pièce ; ses longs cheveux noirs flottaient librement sur ses épaules. En m'apercevant elle poussa un hurlement, tenta maladroitement de dissimuler son visage de ses mains et rebroussa chemin en courant. Au même instant Rediger fit son apparition sur le palier supérieur, et descendit l'escalier à ma rencontre. Il avait assisté à l'incident, et eut un geste résigné en me tendant la main.

« C'est Aïcha, ma nouvelle épouse. Elle va être très gênée, parce que vous n'auriez pas dû la voir sans voile.

— Je suis vraiment désolé.

— Non, ne vous excusez pas, c'est de sa faute ; elle aurait dû demander s'il y avait un invité avant de passer par le hall d'entrée. Enfin elle n'est pas encore habituée à la maison, elle s'y fera.

— Oui, elle a l'air très jeune.

— Elle vient d'avoir quinze ans. »

Je suivis Rediger au premier étage jusqu'à un grand salon-bibliothèque, les murs étaient très hauts, la hauteur sous plafond devait approcher les cinq mètres. Un des murs était entièrement recouvert de livres, je remarquai au premier coup d'œil qu'il y avait énormément d'éditions anciennes, du XIXe siècle surtout. Deux échelles métalliques solides, montées sur des glissières, permettaient d'accéder aux rayonnages les plus élevés. En face, des bacs de plantes vertes étaient accrochés à un treillage de bois sombre plaqué sur toute la hauteur du mur. Il y avait du lierre, des fougères, de la vigne vierge dont le feuillage cascadait du plafond jusqu'au sol, serpentant autour de cadres, les uns où étaient reproduits des versets calligraphiés du Coran, les autres contenant des photos grand format, tirées sur papier mat, qui représentaient des amas galactiques, des supernovas, des nébuleuses spirales. Dans le coin, un grand bureau Directoire placé de biais faisait face à la pièce. Rediger me conduisit jusqu'au coin opposé, où des fauteuils d'un tissu fatigué aux rayures rouges et vertes entouraient une large table basse au plateau de cuivre.

« J'ai effectivement du thé, si vous aimez ça » dit-il en m'invitant à m'asseoir. « J'ai aussi des alcools, du whisky, du porto, enfin ce que vous voulez. Et un excellent Meursault.

— Allons pour le Meursault » répondis-je, un peu intrigué tout de même, il me semblait que l'islam condamnait la consommation d'alcool, enfin d'après ce que j'en savais, au fond c'est une religion que je connaissais mal.

Il disparut, probablement pour demander qu'on nous apporte à boire. Mon fauteuil faisait face à une haute fenêtre ancienne, aux carreaux séparés par des croisillons de plomb, qui donnait sur les arènes. C'était une vue remarquable, je crois que c'était la première fois que j'avais une vue aussi complète de l'ensemble des gradins. Pourtant, au bout de quelques minutes, je m'approchai de la bibliothèque ; elle était, elle aussi, impressionnante.

Deux rayonnages du bas étaient remplis de polycopiés 21 × 29,7. Il s'agissait de thèses, soutenues dans différentes universités européennes ; je regardai le titre de quelques-unes avant de tomber sur une thèse de philosophie, soutenue à l'université catholique de Louvain-la-Neuve, signée Robert Rediger, et intitulée *Guénon lecteur de Nietzsche*. Je la sortais du rayonnage au moment où Rediger refit son entrée dans la pièce ; je sursautai, comme pris en faute, esquissai le geste de la reposer. Il s'approcha, souriant : « Ne vous en faites pas, il n'y a rien de secret. Et puis, la curiosité par rapport au contenu d'une bibliothèque, pour quelqu'un comme vous, c'est presque un devoir professionnel... »

S'approchant davantage, il vit le titre du polycopié. « Ah, vous êtes tombé sur ma thèse... » Il secoua la tête. « J'ai obtenu mon doctorat ;

mais ce n'était pas une très bonne thèse. Bien inférieure à la vôtre, en tout cas. Disons que je sollicitais un peu les textes, comme on dit. Guénon, à bien y réfléchir, n'a pas été tant que ça influencé par Nietzsche ; son rejet du monde moderne est tout aussi fort, mais il vient de sources radicalement différentes. Enfin, je ne la réécrirais certainement pas de la même manière aujourd'hui. J'ai également la vôtre... » poursuivit-il en sortant un nouveau polycopié du rayonnage. « Vous savez qu'on en conserve cinq exemplaires dans les archives de l'université. Bon, compte tenu du nombre de chercheurs qui se présentent chaque année pour les consulter, je me suis dit que je pouvais aussi bien m'en approprier une. »

Je parvenais à peine à l'écouter, j'étais à la limite du collapsus. Cela faisait presque vingt ans que je n'avais pas été mis en présence de *Joris-Karl Huysmans, ou la sortie du tunnel* ; l'épaisseur du volume était incroyable, presque gênante – il y avait, je m'en souvins en un éclair, sept cent quatre-vingt-huit pages. J'y avais, quand même, consacré sept années de ma vie.

Ma thèse toujours à la main, il revint vers les fauteuils. « C'était vraiment un travail remarquable... » insista-t-il. « Elle m'a beaucoup fait penser au jeune Nietzsche, celui de *Naissance de la tragédie*.

— Vous exagérez...

— Je ne crois pas, non. *Naissance de la tragédie* était, après tout, une sorte de thèse ; et dans les deux cas il y a cette incroyable prodigalité, cette profusion d'idées projetées sans la moindre préparation dans les pages, qui rendent le texte à vrai dire presque illisible – ce qui est étonnant, soit dit en passant, c'est que vous teniez à ce rythme pendant près de huit cents pages. Dès les *Considérations inactuelles* Nietzsche s'était calmé, il avait compris qu'il n'est pas possible d'infliger au lecteur une quantité exagérée d'idées, qu'il faut composer, lui laisser reprendre son souffle. Vous aussi, dans *Vertiges des néologismes*, vous avez eu la même évolution, et ça en fait un livre plus accessible. La différence, c'est qu'après, Nietzsche a continué.

— Je ne suis pas Nietzsche…

— Non, vous n'êtes pas Nietzsche. Mais vous êtes quelque chose, quelque chose d'intéressant. Et, pardonnez-moi d'être brutal, vous êtes quelque chose que je veux. Autant jouer cartes sur table, puisque vous l'avez déjà compris : je souhaite vous persuader de reprendre votre poste d'enseignement à l'université Paris-Sorbonne, que je dirige. »

La porte s'ouvrit à ce moment, ce qui m'évita d'avoir à répondre, et une femme d'une quarantaine d'années, grassouillette et d'allure bienveillante, apparut, portant un plateau sur lequel étaient disposés des petits pâtés chauds et un seau à glace contenant la bouteille de Meursault promise.

« C'est Malika, ma première épouse », dit-il une fois qu'elle fut sortie, « vous semblez voué à rencontrer mes épouses aujourd'hui. Je l'ai épousée quand j'étais encore en Belgique. Oui, je suis d'origine belge… Je suis toujours belge d'ailleurs, je ne me suis jamais fait naturaliser, bien que je sois en France depuis vingt ans maintenant. »

Les petits pâtés chauds étaient délicieux, épicés mais pas trop, je reconnus la saveur de la coriandre. Et le vin était sublime. « Je trouve qu'on ne parle pas assez du Meursault ! » lançai-je avec élan. « Le Meursault est une synthèse, il est comme beaucoup de vins à lui tout seul, vous ne trouvez pas ? » J'avais envie de parler de n'importe quoi sauf de mon avenir universitaire, mais je ne me faisais pas d'illusions, il allait revenir à son sujet.

Il y revint, après un temps de silence décent. « C'est bien que vous ayez accepté de superviser cette édition de la Pléiade. Enfin c'est évident, c'est légitime et c'est bien. Quand Lacoue m'en a parlé, qu'est-ce que j'ai pu lui répondre ? Que c'était un choix normal, un choix légitime ; et que c'était, également, le meilleur choix. Je vais vous parler très franchement : à part Gignac, c'est vrai que je n'ai pas réussi jusqu'à présent à m'assurer la collaboration d'enseignants réellement respectés, bénéficiant d'une vraie stature internationale ; bon, c'est loin d'être dramatique, l'université vient juste d'ouvrir ; mais le fait est que dans notre conversation c'est plutôt moi qui suis en demande, je n'ai pas grand-chose à vous offrir. Enfin si, sur le plan financier j'ai beaucoup à vous offrir, vous le savez bien, et après tout ça compte aussi. Mais, sur le plan intellectuel, ce poste à la Sorbonne, c'est plutôt moins prestigieux que la supervision d'une Pléiade ; j'en suis conscient. Cela dit, je peux au moins m'engager, m'engager à titre personnel, à ce que votre véritable travail ne soit pas perturbé. Vous n'auriez à assurer que des cours faciles, des cours en amphithéâtre à destination des première et des deuxième année. L'assistance aux doctorants – je sais que c'est usant, je l'ai suffisamment fait moi-même – vous serait épargnée. Je peux parfaitement m'arranger, sur le plan statutaire. »

Il se tut, j'eus nettement l'impression qu'il avait épuisé un premier stock d'arguments. Il but une première gorgée de Meursault, je me resservis un deuxième verre. Il ne m'était jamais arrivé, je pense, de me sentir à ce point *désirable*. Le mécanisme de la gloire est poussif, peut-être ma thèse était-elle aussi géniale qu'il le prétendait, à vrai dire je ne m'en souvenais qu'à peine, les voltes intellectuelles que j'avais accomplies du temps de ma première jeunesse me paraissaient bien lointaines, le fait est en tout cas que je bénéficiais d'une espèce d'*aura*, alors que je n'aspirais plus qu'à bouquiner un peu, en me couchant vers quatre heures de l'après-midi avec une cartouche de cigarettes et une bouteille d'alcool fort, mais aussi il me fallait bien reconnaître que j'allais mourir à ce rythme, mourir rapidement, malheureux et seul, et avais-je envie de mourir rapidement, malheureux et seul ? En définitive, moyennement.

Je terminai mon verre, m'en resservis un troisième. Par la baie vitrée, je voyais le soleil se coucher sur les arènes ; le silence devenait un peu embarrassant. Bon, il voulait jouer *cartes sur table*, après tout moi aussi.

« Il y a une condition, quand même… » dis-je prudemment. « Une condition qui n'est pas anodine… »

Il hocha lentement la tête.

« Vous pensez… Vous pensez que je suis quelqu'un qui pourrait se convertir à l'islam ? »

Il pencha la tête vers le bas, comme s'il s'abîmait dans d'intenses réflexions personnelles ; puis, relevant son regard vers moi, il répondit : « Oui ».

L'instant d'après il me refit son grand sourire lumineux, candide. C'était la deuxième fois que j'y avais droit, le choc fut un peu moins fort ; mais, quand même, son sourire restait terriblement efficace. En tout cas, maintenant, c'était à lui de parler. J'avalai coup sur coup deux pâtés, maintenant tièdes. Le soleil disparut derrière les gradins, la nuit envahit les arènes ; il était étonnant de penser que des combats de gladiateurs et de fauves avaient réellement eu lieu ici, quelque deux mille ans auparavant.

« Vous n'êtes pas catholique, ce qui aurait pu constituer un obstacle… » reprit-il doucement.

Non, en effet ; ça, on ne pouvait pas dire.

« Et je ne pense pas non plus que vous soyez véritablement athée. Les vrais athées, au fond, sont rares.

— Vous croyez ? J'avais l'impression, au contraire, que l'athéisme était universellement répandu dans le monde occidental.

— À mon avis, c'est superficiel. Les seuls vrais athées que j'ai rencontrés étaient des *révoltés* ; ils ne se contentaient pas de constater froidement la non-existence de Dieu, ils refusaient cette existence, à la manière de Bakounine : "Et même si Dieu existait, il faudrait s'en débarrasser…", enfin c'étaient des athées à la Kirilov, ils rejetaient Dieu parce qu'ils voulaient mettre l'homme à sa place, ils étaient humanistes, ils se faisaient une haute idée de la liberté humaine, de la dignité humaine. Je suppose que vous ne vous reconnaissez pas, non plus, dans ce portrait ? »

Non, là non plus, en effet ; rien que le mot d'humanisme me donnait légèrement envie de vomir, mais c'était peut-être les pâtés chauds, aussi, j'avais abusé ; je repris un verre de Meursault pour faire passer.

« Ce qu'il y a, reprit-il, c'est que la plupart des gens vivent leurs vies sans trop se préoccuper de ces questions, qui leur paraissent exagérément philosophiques ; ils n'y pensent que lorsqu'ils sont confrontés à un drame – une maladie grave, la mort d'un proche. Enfin, c'est vrai en Occident ; parce que partout ailleurs dans le monde c'est au nom de ces questions que les êtres humains meurent et qu'ils tuent, qu'ils mènent des guerres sanglantes, et cela depuis l'origine de l'humanité : c'est pour des questions métaphysiques que les hommes se battent, certainement pas pour des points de croissance, ni pour le partage de territoires de chasse. Mais, même en Occident, en réalité, l'athéisme n'a aucune base solide. Quand je parle de Dieu aux gens, je commence en général par leur prêter un livre d'astronomie…

— C'est vrai que vos photos sont très belles.

— Oui, la beauté de l'Univers est remarquable ; et son gigantisme, surtout, est stupéfiant. Des centaines de milliards de galaxies, composées chacune de centaines de milliards d'étoiles, et dont certaines sont situées à des milliards d'années-lumière – des centaines de milliards de milliards de kilomètres. Et, à l'échelle du milliard d'années-lumière, il commence à se constituer un ordre : les amas galactiques se répartissent pour former un graphe labyrinthique. Exposez ces faits scientifiques à cent personnes prises au hasard dans la rue : combien auront le front de soutenir que tout cela a été créé *par hasard* ? D'autant que l'Univers est relativement jeune – quinze milliards d'années tout au plus. C'est le célèbre argument du singe dactylographe : combien de temps faudrait-il à un chimpanzé, tapant au hasard sur le clavier d'une machine, pour réécrire l'œuvre de Shakespeare ? Combien de temps faudrait-il à un hasard aveugle pour reconstruire l'Univers ? Certainement bien plus de quinze milliards d'années !... Et ce n'est pas seulement le point de vue de l'homme de la rue, c'est aussi celui des plus grands scientifiques ; il n'y a peut-être pas eu d'esprit plus brillant, dans l'histoire de l'humanité, que celui d'Isaac Newton – songez à cet effort intellectuel extraordinaire, inouï, consistant à unir dans une même loi la chute des corps terrestres et le mouvement des planètes ! Eh bien Newton croyait en Dieu, il y croyait fermement, à tel point qu'il a consacré les dernières années de sa vie à des études d'exégèse biblique – le seul texte sacré qui lui était réellement accessible. Einstein n'était pas davantage athée, même si la nature exacte de sa croyance est plus difficile à définir ; mais lorsqu'il objecte à Bohr que "Dieu ne joue pas aux dés" il ne plaisante nullement, il lui paraît inconcevable que les lois de l'Univers soient gouvernées par le hasard. L'argument du "Dieu horloger", que Voltaire jugeait irréfutable, est resté tout aussi fort qu'au XVIIIe siècle, il a même gagné en pertinence à mesure que la science tissait des liens de plus en plus étroits entre l'astrophysique et la mécanique des particules. N'y a-t-il pas au fond quelque chose d'un peu ridicule à voir cette créature chétive, vivant sur une planète anonyme d'un bras écarté d'une galaxie ordinaire, se dresser sur ses petites pattes pour proclamer : "Dieu n'existe pas" ? Enfin excusez-moi, je suis trop prolixe...

— Non, ne vous excusez pas, ça m'intéresse vraiment... » dis-je avec sincérité, il est vrai que je commençais à être un peu pété, un coup d'œil en coin m'apprit que la bouteille de Meursault était vide.

« C'est vrai, poursuivis-je, que mon athéisme ne repose pas sur des bases très solides ; il serait présomptueux de ma part de l'affirmer.

— Présomptueux, oui, c'est le mot ; il y a au fond de l'humanisme athée un orgueil, une arrogance invraisemblables. Et même l'idée chrétienne de l'incarnation, au fond, témoigne d'une prétention un peu comique. Dieu s'est fait homme... Pourquoi Dieu ne se serait-il pas plutôt incarné en habitant de Sirius, ou de la galaxie d'Andromède ?

— Vous croyez à la vie extraterrestre ? »
l'interrompis-je avec surprise.

— Je ne sais pas, je n'y pense pas si souvent, mais c'est juste une question d'arithmétique : compte tenu des myriades d'étoiles qui peuplent l'Univers, des planètes multiples qui gravitent autour de chacune d'elles, il serait bien surprenant que la vie se soit manifestée uniquement sur Terre. Mais peu importe, ce que je veux dire c'est que l'Univers porte à l'évidence la marque d'un dessein intelligent, qu'il est à l'évidence la réalisation d'un projet conçu par une intelligence gigantesque. Et cette idée simple allait, tôt ou tard, s'imposer de nouveau, cela je l'avais compris très jeune. Tout le débat intellectuel du XXᵉ siècle s'était résumé en une opposition entre le communisme – disons, la variante *hard* de l'humanisme – et la démocratie libérale – sa variante molle ; c'était quand même terriblement réducteur. Le retour du religieux, dont on commençait alors à parler, je le savais pour ma part inéluctable dès l'âge de quinze ans, je crois. Ma famille était plutôt catholique – enfin ça commençait à être un peu lointain, c'étaient surtout mes grands-parents qui l'étaient – alors naturellement je me suis tourné en premier lieu vers le catholicisme. Et, dès ma première année d'université, je me suis rapproché du mouvement identitaire. »

Je dus avoir un mouvement de surprise visible, parce qu'il s'interrompit et me considéra avec un demi-sourire. Au même instant, on frappa à la porte. Il répondit en arabe, et Malika refit son apparition, portant un nou-

267

veau plateau avec une cafetière, deux tasses et une assiette de baklavas aux pistaches et de briouats. Il y avait aussi une bouteille de boukha et deux petits verres.

Rediger nous servit le café avant de poursuivre. Il était amer, très fort et me fit beaucoup de bien, je recouvrai instantanément toute ma lucidité.

« Je ne me suis jamais caché de mes engagements de jeunesse... » poursuivit-il. « Et mes nouveaux amis musulmans n'ont jamais songé à me les reprocher ; il leur paraissait tout à fait normal que, dans ma quête d'un moyen de sortir de l'humanisme athée, je me tourne en premier lieu vers ma tradition d'origine. D'ailleurs nous n'étions ni racistes, ni fascistes – enfin si, pour être tout à fait honnête, certains identitaires n'en étaient pas très loin ; mais moi en aucun cas, jamais. Les fascismes me sont toujours apparus comme une tentative spectrale, cauchemardesque et fausse de redonner vie à des nations mortes ; sans la chrétienté, les nations européennes n'étaient plus que des corps sans âme – des zombies. Seulement, voilà : la chrétienté pouvait-elle revivre ? Je l'ai cru, je l'ai cru quelques années – avec des doutes croissants, j'étais de plus en plus marqué par la pensée de Toynbee, par son idée que les civilisations ne meurent pas assassinées, mais qu'elles se suicident. Et puis tout a basculé, en un jour – exactement, le 30 mars 2013 ; je me souviens que c'était le week-end de Pâques. Je vivais à l'époque à Bruxelles, et j'allais de temps en temps boire un verre au bar du Métropole. J'ai toujours aimé le style Art nouveau : il y a des choses magnifiques à Prague ou à Vienne, il y a aussi quelques bâtiments intéressants à Paris ou à Londres, mais pour moi, à tort ou à raison, le sommet du décor Art nouveau c'était l'hôtel Métropole de Bruxelles, et tout particulièrement son bar. Le matin du 30 mars, je passais devant par hasard et j'ai vu une affichette qui indiquait que le bar du Métropole fermerait définitivement ses portes le soir même. J'étais stupéfait ; je me suis adressé aux serveurs. Ils ont confirmé ; ils ne connaissaient pas les raisons exactes de la fermeture. Penser que l'on pouvait jusque-là commander des sandwiches et des bières, des chocolats viennois et des gâteaux à la crème dans ce chef-d'œuvre absolu de l'art décoratif, que l'on pouvait vivre sa vie quotidienne entouré par la beauté, et que tout cela allait disparaître, d'un seul coup, en plein cœur de la capitale de l'Europe !... Oui, c'est à ce moment-là que j'ai compris : l'Europe avait déjà accompli son suicide. En tant que lecteur de Huysmans, vous avez certainement été agacé comme moi par son pessimisme invétéré, ses imprécations répétées contre les médiocrités de son temps. Alors qu'il vivait à une époque où les nations européennes à leur apogée, à la tête d'immenses empires coloniaux, dominaient le monde !... À une époque extraordinairement brillante à la fois du point de vue technologique – les chemins de fer, l'éclairage électrique, le téléphone, le phonographe, les constructions métalliques d'Eiffel – et du point de vue artistique – là, il y a vraiment trop de noms pour les citer, que ce soit en littérature, en peinture, en musique... »

Il avait, de toute évidence, raison ; et, même du point de vue plus restreint de l'« art de vivre », la dégradation était considérable. Acceptant un baklava que me tendait Rediger, je me souvins d'un livre que j'avais lu quelques années auparavant, consacré à l'histoire des bordels. Dans l'iconographie de l'ouvrage, il y avait la reproduction du prospectus d'un bordel parisien de la Belle Époque. J'avais éprouvé un vrai choc en constatant que certaines des spécialités sexuelles proposées par *Mademoiselle Hortense* ne m'évoquaient absolument rien ; je ne voyais absolument pas ce que pouvaient être le « voyage en terre jaune », ni la « savonnette impériale russe ». Le souvenir de certaines pratiques sexuelles avait ainsi, en un siècle, disparu de la mémoire des hommes – un peu comme disparaissent certains savoir-faire artisanaux tels que ceux des sabotiers ou des carillonneurs. Comment, en effet, ne pas adhérer à l'idée de la décadence de l'Europe ?

« Cette Europe qui était le sommet de la civilisation humaine s'est bel et bien suicidée, en l'espace de quelques décennies », reprit Rediger avec tristesse ; il n'avait pas allumé, la pièce n'était éclairée que par la lampe posée sur son bureau. « Il y a eu dans toute l'Europe les mouvements anarchistes et nihilistes, l'appel à la violence, la négation de toute loi morale. Et puis, quelques années plus tard, tout s'est terminé par cette folie injustifiable de la Première guerre mondiale. Freud ne s'y est pas trompé, Thomas Mann pas davantage : si la France et l'Allemagne, les deux nations les plus avancées, les plus civilisées du monde, pouvaient s'abandonner à cette boucherie insensée, alors c'est que l'Europe était morte. J'ai donc passé cette dernière soirée au Métropole, jusqu'à sa fermeture. Je suis rentré chez moi à pied, traversant la moitié de Bruxelles, longeant le quartier des institutions européennes – cette forteresse lugubre, entourée de taudis. Le lendemain, je suis allé voir un imam à Zaventem. Et le surlendemain – le lundi de Pâques – en présence d'une dizaine de témoins, j'ai prononcé la formule rituelle de conversion à l'islam. »

Je n'étais pas certain de partager son point de vue sur le rôle décisif de la Première guerre mondiale ; certes, cela avait été une boucherie inexcusable, mais la guerre de 1870 était déjà passablement absurde, dans la description qu'en fait Huysmans en tout cas, et avait déjà sérieusement déprécié toute forme de patriotisme ; les nations dans leur ensemble n'étaient qu'une absurdité meurtrière, et cela tous les êtres humains un peu conscients s'en étaient probablement rendu compte dès 1871 ; de là découlaient me semblait-il le nihilisme, l'anarchisme et toutes ces saloperies. Pour les civilisations plus anciennes, je n'étais pas vraiment au courant. La nuit était tombée sur le square des arènes de Lutèce, les derniers touristes avaient déserté les lieux ; de rares réverbères répandaient sur les gradins une faible clarté. Certainement les Romains avaient eu la sensation d'être une civilisation éternelle, immédiatement avant la chute de leur empire ; s'étaient-ils, eux aussi, suicidés ? Rome avait été une civilisation brutale, extrêmement compétente sur le plan militaire – une civilisation cruelle aussi, où les distractions proposées à la foule étaient des combats à mort entre hommes, ou entre hommes et entre fauves. Y avait-il eu chez les Romains un désir de disparaître, une faille secrète ? Rediger avait certainement lu Gibbon, d'autres auteurs du même genre, dont je connaissais tout au plus le nom, je ne me sentais pas tout à fait en mesure de soutenir la conversation.

« Je parle vraiment beaucoup trop... » dit-il en esquissant un mouvement de gêne. Il me servit un verre de boukha, me tendit à nouveau le plateau de pâtisseries ; elles étaient excellentes, le contraste avec l'amertume de l'alcool de figue était délicieux. « Il est tard, il faut peut-être que je vous laisse » dis-je avec hésitation ; je n'avais pas tellement envie de partir, en fait.

« Attendez ! » Il se leva, se dirigea vers son bureau, juste derrière il y avait quelques rayonnages de dictionnaires et d'usuels. Il en revint avec un petit livre signé de son nom, publié dans une collection de poche illustrée, intitulé *Dix questions sur l'islam*.

« Je vous inflige trois heures de prosélytisme religieux alors que j'ai déjà écrit un livre sur la question, ça doit devenir une seconde nature... Mais vous en avez peut-être déjà entendu parler ?

— Oui, il s'est très bien vendu, n'est-ce pas ?

— Trois millions d'exemplaires, s'excusa-t-il. Il semblerait que j'aie développé un don tout à fait imprévu pour la vulgarisation. Évidemment, c'est terriblement schématique... s'excusa-t-il de nouveau, mais au moins vous pourrez le lire vite. »

Il y avait 128 pages, et pas mal d'iconographie – essentiellement des reproductions d'art islamique ; en effet, ça n'allait pas me prendre trop de temps. Je rangeai l'ouvrage dans mon sac à dos.

Il nous resservit deux verres de boukha. Dehors la lune s'était levée, éclairait à plein les gradins des arènes, sa lumière était maintenant nettement plus forte que celle des réverbères ; je remarquai que les reproductions photographiques de versets du Coran et de galaxies accrochées au milieu du mur végétal étaient éclairées par de petites lampes individuelles.

« Vous vivez dans une très belle maison...

— J'ai mis des années à l'avoir, ça n'a vraiment pas été facile, croyez-moi... » Il se renversa dans son siège, et cette fois j'eus l'impression, pour la première fois depuis mon arrivée, d'un abandon réel : ce qu'il allait me dire maintenant était important pour lui, ça ne faisait aucun doute. « Ce n'est évidemment pas Paulhan qui m'intéresse, qui peut s'intéresser à Paulhan ? Mais c'est pour moi un bonheur de chaque instant de vivre dans la maison où Dominique Aury a écrit *Histoire d'O*, en tout cas où vivait l'amant pour l'amour duquel elle a écrit ce livre. C'est un livre fascinant, vous ne trouvez pas ? »

J'étais du même avis. *Histoire d'O* en principe avait tout pour me déplaire : les fantasmes exposés me dégoûtaient, et l'ensemble était d'un kitsch ostentatoire – l'appartement de l'île Saint-Louis, l'hôtel particulier du faubourg Saint-Germain, *Sir Stephen*, enfin tout ça était complètement à chier. Il n'empêche que le livre était traversé d'une passion, d'un souffle qui emportaient tout.

« C'est la soumission » dit doucement Rediger. « L'idée renversante et simple, jamais exprimée auparavant avec cette force, que le sommet du bonheur humain réside dans la soumission la plus absolue. C'est une idée que j'hésiterais à exposer devant mes coreligionnaires, qu'ils jugeraient peut-être blasphématoire, mais il y a pour moi un rapport entre l'absolue soumission de la femme à l'homme, telle que la décrit *Histoire d'O*, et la soumission de l'homme à Dieu, telle que l'envisage l'islam. Voyez-vous, poursuivit-il, l'islam accepte le monde, et il l'accepte dans son intégralité, il accepte le monde *tel quel*, pour parler comme Nietzsche. Le point de vue du bouddhisme est que le monde est *dukkha* – inadéquation, souffrance. Le christianisme lui-même manifeste de sérieuses réserves – Satan n'est-il pas qualifié de "prince de ce monde" ? Pour l'islam au contraire la création divine est parfaite, c'est un chef-d'œuvre absolu. Qu'est-ce que le Coran au fond, sinon un immense poème mystique de louange ? De louange au Créateur, et de soumission à ses lois. Je ne conseille en général pas aux gens qui souhaitent approcher l'islam de commencer par la lecture du Coran, à moins bien entendu qu'ils ne souhaitent faire l'effort d'apprendre l'arabe, et de se plonger dans le texte originel. Je leur conseille plutôt d'écouter la lecture de sourates, et de les répéter, de ressentir leur respiration et leur souffle. L'islam est quand même la seule religion qui ait prohibé toute traduction dans l'usage liturgique ; parce que le Coran est entièrement composé de rythmes, de rimes, de refrains, d'assonances. Il repose sur cette idée, l'idée de base de la poésie, d'une union de la sonorité et du sens, qui permet de dire le monde. »

Il eut un nouveau geste d'excuse, je pense qu'il feignait un peu d'être gêné de son propre prosélytisme, en même temps il devait être trop conscient que ce discours, il l'avait déjà servi à de nombreux enseignants qu'il souhaitait convaincre ; je suppose que la remarque sur le refus de la traduction du Coran, par exemple, avait fait mouche avec Gignac, ces spécialistes de la littérature médiévale voient souvent d'un mauvais œil la transposition de l'objet de leur dévotion en français contemporain ; mais après tout, bien rodés ou pas, ses arguments n'en conservaient pas moins toute leur force. Et je ne pouvais pas m'empêcher de songer à son mode de vie : une épouse de quarante ans pour la cuisine, une de quinze ans pour d'autres choses... sans doute avait-il une ou deux épouses d'âge intermédiaire, mais je me voyais mal lui poser la question. Je me levai cette fois décidément pour prendre congé, je le remerciai pour cette passionnante après-midi, qui d'ailleurs s'était prolongée en soirée. Il me dit qu'il avait passé, lui aussi, un très bon moment, enfin il y eut une espèce d'assaut de politesses sur le pas de la porte ; mais nous étions sincères tous les deux.

De retour chez moi, après m'être retourné dans mon lit pendant plus d'une heure, je me rendis compte que je n'allais décidément pas réussir à m'endormir. Il ne me restait plus grand-chose à boire, juste une bouteille de rhum, ça allait faire mauvais ménage avec la boukha, mais j'en avais besoin. Pour la première fois de ma vie je m'étais mis à penser à Dieu, à envisager sérieusement l'idée d'une espèce de Créateur de l'Univers, qui surveillerait chacun de mes actes, et ma première réaction était très nette : c'était tout simplement la peur. Peu à peu je me calmai, l'alcool aidant, en me répétant que j'étais un individu relativement insignifiant, que le Créateur avait certainement mieux à faire etc, mais quand même l'idée persistait, terrifiante, qu'il allait d'un seul coup prendre conscience de mon existence, qu'il allait *appesantir sa main*, et que j'allais attraper par exemple un cancer de la mâchoire, comme Huysmans, c'était un cancer fréquent chez les fumeurs, Freud aussi en avait eu un, oui, un cancer de la mâchoire paraissait plausible. Comment est-ce que je ferais, après une ablation de la mâchoire ? Comment est-ce que je pourrais sortir dans la rue, aller au supermarché, faire mes courses, supporter les regards de compassion et de dégoût ? Et si je ne pouvais plus faire mes courses, qui les ferait à ma place ? La nuit serait encore longue, et je me sentais dramatiquement seul. Aurais-je, au moins, l'élémentaire courage du suicide ? Ce n'était même pas sûr.

Je me réveillai vers six heures du matin avec un sérieux mal de crâne. Pendant que le café passait je recherchai *Dix questions sur l'islam*, mais au bout d'un quart d'heure je dus me rendre à l'évidence : mon sac à dos n'était pas là, j'avais dû le laisser chez Rediger.

Après deux Aspegic, je retrouvai suffisamment d'énergie pour me plonger dans un dictionnaire de l'argot théâtral, publié en 1907, et je parvins à retrouver deux mots rares utilisés par Huysmans, qui auraient aisément pu passer pour des néologismes. C'était la partie amusante de mon travail, amusante et relativement facile ; le gros morceau serait la préface, c'est là que je serais attendu, je m'en rendais bien compte. Tôt ou tard, il faudrait que je me replonge dans ma propre thèse. Ces huit cents pages m'effrayaient, m'écrasaient presque ; pour autant que je m'en souvienne, j'avais eu tendance à relire l'ensemble de l'œuvre de Huysmans à la lumière de sa conversion future. L'auteur lui-même y incitait, et je m'étais sans doute laissé manipuler par lui – sa propre préface d'*À rebours*, écrite vingt ans après, était symptomatique. *À rebours*

278

conduisait-il inévitablement à un retour dans le giron de l'Église ? Ce retour s'était finalement produit, la sincérité de Huysmans ne faisait aucun doute, et *Les foules de Lourdes*, son dernier livre, était authentiquement le livre d'un chrétien, où cet esthète misanthrope et solitaire, dépassant l'aversion que lui inspiraient les bondieuseries saint-sulpiciennes, parvenait enfin à se laisser transporter par la foi élémentaire de la foule des pèlerins. D'un autre côté, sur le plan pratique, ce retour ne lui avait pas demandé de sacrifices bien considérables : le statut d'oblat qui était le sien à Ligugé lui permettait de vivre en dehors du monastère ; il avait sa propre servante, qui lui préparait ces plats de cuisine bourgeoise qui avaient joué un si grand rôle dans sa vie ; il avait sa bibliothèque, et ses paquets de tabac hollandais. Il assistait à l'ensemble des offices, et sans nul doute il y prenait plaisir, sa dilection esthétique et presque charnelle pour la liturgie catholique transparaissait dans chacune des pages de ses derniers livres ; mais les questions métaphysiques qu'avait soulevées Rediger la veille, il n'en faisait jamais mention. Les espaces infinis qui effrayaient Pascal, qui plongeaient Newton et Kant dans l'émerveillement et le respect, il ne les avait pour sa part nullement aperçus. Huysmans était un converti, certes, mais pas à la manière de Péguy ou de Claudel. Ma propre thèse, je le compris à ce moment, ne me serait pas d'un très grand secours ; et les déclarations de Huysmans lui-même, pas davantage.

Vers dix heures du matin, j'estimai que c'était une heure décente pour me présenter au 5, rue des Arènes ; le majordome de la veille m'accueillit avec un sourire, toujours vêtu de son costume blanc à col Mao. Le professeur Rediger était absent, m'informa-t-il, et j'avais en effet oublié un objet. Il me rapporta mon sac Adidas en moins de trente secondes, il l'avait certainement mis de côté dès les premières heures ; il était courtois, efficace et discret, en un sens il m'impressionnait encore davantage que ses femmes. Les démarches administratives il devait les résoudre en un éclair, en un claquement de doigts.

Redescendant la rue de Quatrefages, je me retrouvai sans l'avoir cherché devant la grande mosquée de Paris. Mes pensées ne se tournèrent pas vers l'éventuel Créateur de l'Univers, mais, assez bassement, vers Steve : il était quand même net, me dis-je, que le niveau de l'enseignement avait baissé. Je n'avais pas tout à fait la notoriété d'un Gignac ; mais, quand même, si je me décidais à revenir, je pouvais être assuré que l'on me ferait bon accueil.

C'est par contre tout à fait consciemment que je continuai par la rue Daubenton en direction de la Sorbonne – Paris III. Je n'avais pas l'intention de rentrer, juste de traîner devant les grilles ; mais j'eus un vrai mouvement de joie en reconnaissant le vigile sénégalais. Et lui aussi rayonnait : « Content de vous voir, monsieur ! C'est bon que vous soyez de retour !... » Je n'eus pas le cœur de le détromper, et pénétrai comme il m'y invitait dans la cour principale. J'avais quand même passé quinze ans de ma vie dans cette fac, ça me faisait plaisir de reconnaître, au moins, une personne. Je me demandai s'il avait eu, lui aussi, à se convertir pour être réembauché ; mais peut-être était-il déjà musulman, certains Sénégalais le sont, j'en avais du moins l'impression.

Je me promenai pendant un quart d'heure sous les arcades de poutrelles métalliques, un peu surpris par ma propre nostalgie, sans cesser d'être conscient que l'environnement était vraiment très moche, ces bâtiments hideux avaient été construits durant la pire période du modernisme, mais la nostalgie n'a rien d'un sentiment esthétique, elle n'est même pas liée non plus au souvenir d'un bonheur, on est nostalgique d'un endroit simplement parce qu'on y a vécu, bien ou mal peu importe, le passé est toujours beau, et le futur aussi d'ailleurs, il n'y a que le présent qui fasse mal, qu'on transporte avec soi comme un abcès de souffrance qui vous accompagne entre deux infinis de bonheur paisible.

Peu à peu, à force de marcher entre les poutrelles métalliques, ma nostalgie s'effaça, et je cessai même à peu près complètement de penser. Je pensai encore un peu à Myriam, brièvement mais de manière très douloureuse, en passant devant le bar du rez-de-chaussée où avait eu lieu notre première rencontre. Les étudiantes étaient maintenant, bien entendu, voilées, en général voilées de blanc, et se promenaient à deux ou trois sous les arcades, cela faisait un peu penser à un cloître, enfin l'impression d'ensemble était indéniablement studieuse. Je me demandais ce que ça pouvait donner dans le décor plus ancien de la Sorbonne – Paris IV, si l'on se sentait revenu au temps d'Abélard et d'Héloïse.

Dix questions sur l'islam était en effet un livre simple, structuré avec une grande efficacité. Le premier chapitre, répondant à la question : « Quelle est notre croyance ? », ne m'apprit à peu près rien. C'était en gros ce que Rediger m'avait dit la veille, lors de notre après-midi passée chez lui : l'immensité et l'harmonie de l'Univers, la perfection du dessein, etc. S'ensuivait un bref développement sur la succession des prophètes, parachevée par Mahomet.

Comme sans doute la plupart des hommes, je sautai les chapitres consacrés aux devoirs religieux, aux piliers de l'islam et au jeûne, pour en arriver directement au chapitre VII : « Pourquoi la polygamie ? » L'argumentation en était à vrai dire originale : pour réaliser ses desseins sublimes, exposait Rediger, le Créateur de l'Univers passait, pour ce qui est du cosmos inanimé, par les lois de la géométrie (une géométrie certes non euclidienne ; une géométrie non commutative, aussi ; mais enfin une géométrie). En ce qui concerne les êtres vivants, par contre, les desseins du Créateur s'exprimaient au travers de la sélection naturelle : c'est par elle que les créatures animées atteignaient à leur maximum de beauté, de vitalité et de force. Et chez toutes les espèces animales, dont l'homme faisait partie, la loi était la même : seuls certains individus étaient appelés à transmettre leur semence, et à engendrer la génération future, dont dépendrait à son tour un nombre indéfini de générations. Dans le cas des mammifères, compte tenu du temps de gestation des femelles, à mettre en relation avec la capacité de reproduction presque illimitée des mâles, la pression sélective s'exerçait avant tout sur les mâles. L'inégalité entre mâles – si certains se voyaient accorder la jouissance de plusieurs femelles, d'autres devraient nécessairement en être privés – ne devait donc pas être considérée comme un effet pervers de la polygamie, mais bel et bien comme son but réel. C'est ainsi que s'accomplissait le destin de l'espèce.

Ces curieuses considérations l'amenaient directement au chapitre VIII, plus consensuel, consacré à « L'écologie et l'islam », qui lui permettait accessoirement de traiter la question de la nourriture hallal, assimilée par lui à une sorte de bio amélioré. Quant aux chapitres IX et X, consacrés à l'économie et aux institutions politiques, ils semblaient faits tout exprès pour mener à la candidature de Mohammed Ben Abbes.

Dans cet ouvrage destiné à une très large audience, et qui l'avait du reste atteinte, Rediger multipliait les accommodements à l'intention d'un public humaniste, et ne manquait pas de comparer l'islam aux civilisations, pastorales et brutales, qui l'avaient précédé. Il soulignait ainsi que l'islam n'avait pas inventé la polygamie, mais qu'il avait plutôt contribué à réglementer sa pratique ; qu'il n'était pas à l'origine de la lapidation, ni de l'excision ; que le prophète Mahomet avait considéré comme méritoire l'affranchissement des esclaves, et qu'il avait, établissant l'égalité de principe de tous les hommes devant leur Créateur, mis fin à toute forme de discrimination raciale dans les pays qu'il dominait.

Je connaissais tous ces arguments, je les avais mille fois entendus ; cela ne les empêchait pas d'être exacts. Mais ce qui m'avait frappé lors de notre rencontre, et qui me frappait encore davantage dans son livre, c'était ce côté *discours bien rodé*, qui rapprochait inévitablement Rediger du champ politique. Nous n'avions pas du tout parlé politique, lors de notre après-midi dans la maison de la rue des Arènes ; mais je ne fus nullement surpris, une semaine plus tard, de voir qu'à la faveur d'un mini-remaniement ministériel il venait d'être nommé à la fonction de secrétaire d'état aux Universités, recréée pour l'occasion.

J'avais eu entretemps l'occasion de constater qu'il s'était montré nettement moins prudent dans des articles destinés à des revues plus confidentielles telles que la *Revue d'études palestiniennes* et que *Oummah*. L'absence de curiosité des journalistes était vraiment une bénédiction pour les intellectuels, parce que tout cela était aisément disponible sur Internet aujourd'hui, et il me semblait qu'exhumer certains de ces articles aurait pu lui valoir quelques ennuis ; mais après tout je me trompais peut-être, tant d'intellectuels au cours du XXᵉ siècle avaient soutenu Staline, Mao ou Pol Pot sans que cela ne leur soit jamais vraiment reproché ; l'intellectuel en France n'avait pas à être *responsable*, ce n'était pas dans sa nature.

Dans un article destiné à *Oummah*, où il se posait la question de savoir si l'Islam était appelé à dominer le monde, Rediger répondait finalement par l'affirmative. C'est à peine s'il revenait sur le cas des civilisations occidentales, tant elles lui paraissaient à l'évidence condamnées (autant l'individualisme libéral devait triompher tant qu'il se contentait de dissoudre ces structures intermédiaires qu'étaient les patries, les corporations et les castes, autant, lorsqu'il s'attaquait à cette structure ultime qu'était la famille, et donc à la démographie, il signait son échec final ; alors venait, logiquement, le temps de l'Islam). Il se montrait plus prolixe sur le cas de l'Inde et de la Chine : si l'Inde et la Chine avaient conservé leurs civilisations traditionnelles, écrivait-il, elles auraient pu, demeurant étrangères au monothéisme, échapper à l'emprise de l'Islam ; mais à partir du moment où elles s'étaient laissées contaminer par les valeurs occidentales elles étaient, elles aussi, condamnées : il détaillait le processus, fournissait un calendrier prévisionnel. L'article, clair et documenté, trahissait nettement l'influence de Guénon, sa distinction fondamentale entre les civilisations traditionnelles, prises dans leur ensemble, et la civilisation moderne.

Dans un autre article, il se prononçait nettement en faveur d'une répartition très inégalitaire des richesses. Si la misère proprement dite devait être exclue d'une société musulmane authentique (le secours par l'aumône constituant même un des cinq piliers de l'islam), celle-ci ne devait pas moins maintenir un écart considérable entre la grande masse de la population, vivant dans une pauvreté décente, et une infime minorité d'individus fastueusement riches, suffisamment pour se livrer à des dépenses exagérées, folles, qui assurait la survie du luxe et des arts. Cette position aristocratique venait, cette fois, directement de Nietzsche ; Rediger était resté, au fond, remarquablement fidèle aux penseurs de sa jeunesse.

Nietzschéenne aussi était son hostilité sarcastique et blessante à l'égard du christianisme, qui reposait uniquement selon lui sur la personnalité décadente, marginale de Jésus. Le fondateur du christianisme s'était plu dans la compagnie des femmes, et *cela se sentait*, écrivait-il. « Si l'islam méprise le christianisme », citait-il, reprenant l'auteur de *L'antéchrist*, « il a mille raisons pour cela ; l'islam a des *hommes* pour condition première... » L'idée de la divinité du Christ, reprenait Rediger, était l'erreur fondamentale conduisant inéluctablement à l'humanisme et aux « droits de l'homme ». Cela aussi Nietzsche l'avait déjà dit, et en des termes plus durs, de même qu'il aurait sans doute adhéré à l'idée que l'islam avait pour mission de purifier le monde en le débarrassant de la doctrine délétère de l'incarnation.

En vieillissant je me rapprochais moi-même de Nietzsche, comme c'est sans doute inévitable quand on a des problèmes de plomberie. Et je me sentais davantage intéressé par Élohim, le sublime ordonnateur des constellations, que par son insipide rejeton. Jésus avait trop aimé les hommes, voilà le problème ; se laisser crucifier pour eux témoignait au minimum d'une *faute de goût*, comme l'aurait dit la vieille pétasse. Et le reste de ses actions ne témoignait pas non plus d'un grand discernement, comme par exemple le pardon à la femme adultère, avec des arguments du genre « que celui qui n'a pas péché », etc. Ce n'était pourtant pas bien compliqué, il suffisait d'appeler un enfant de sept ans – il l'aurait lancée, lui, la première pierre, le putain de gosse.

Rediger écrivait très bien, il était clair et synthétique, avec parfois une pointe d'humour, comme lorsqu'il se moquait d'un de ses confrères, sans doute un intellectuel musulman concurrent, qui avait introduit dans un article la notion d'*imams 2.0*, ceux qui s'étaient donné pour mission la reconversion des jeunes Français issus de l'immigration musulmane. C'était plutôt maintenant, corrigeait-il, d'*imams 3.0* qu'il fallait parler : ceux qui convertissaient les jeunes Français de souche – l'humour, chez Rediger, ne durait jamais longtemps ; une considération sérieuse prenait rapidement la suite. Mais c'est surtout à ses confrères *islamogauchistes* qu'il réservait ses sarcasmes : l'islamogauchisme, écrivait-il, était une tentative désespérée de marxistes décomposés, pourrissants, en état de mort clinique, pour se hisser hors des poubelles de l'histoire en s'accrochant aux forces montantes de l'islam. Sur le plan conceptuel, poursuivait-il, ils prêtaient tout autant à sourire que les fameux « nietzschéens de gauche ». Nietzsche était décidément une obsession chez lui ; ses articles d'inspiration nietzschéenne me fatiguèrent pourtant assez vite – j'avais sans doute trop lu Nietzsche moi-même, je le connaissais et le comprenais parfaitement, il avait perdu toute capacité à me charmer. J'étais, bizarrement, davantage attiré par sa fibre guénonienne – il est vrai que Guénon à lire dans sa totalité est un auteur assez chiant, et que Rediger en offrait une version accessible, une version *light*. J'aimais particulièrement un article intitulé « Géométrie du lien », paru dans la *Revue d'études traditionnelles*. Il y revenait une nouvelle fois sur l'échec du communisme – qui était, après tout, une première tentative de lutte contre l'individualisme libéral – pour souligner que Trotski avait, finalement, eu raison contre Staline : le communisme n'aurait pu triompher qu'à la condition d'être mondial. La même règle, avertissait-il, valait pour l'islam : il serait universel, ou ne serait pas. Mais l'essentiel de l'article était une curieuse méditation, non dénuée d'une espèce de kitsch spinozien, avec des scolies et tout le bataclan, autour de la théorie des graphes. Seule une religion, essayait de démontrer l'article, pouvait créer, entre les individus, une relation totale. Si nous considérons, écrivait Rediger, un graphe de liaison, soit des individus (des points) reliés par des relations personnelles, il est impossible de construire un graphe plan reliant entre eux l'ensemble des individus. La seule solution est de passer par un plan supérieur, contenant un point unique appelé Dieu, auquel seraient reliés l'ensemble des individus ; et reliés entre eux, par cet intermédiaire.

Tout cela était très agréable à lire ; en même temps, sur le plan géométrique, la démonstration me paraissait fausse ; mais enfin ça me changeait de mes problèmes de plomberie. Ma vie intellectuelle, sinon, était au point mort : j'avançais sur l'établissement de l'appareil de notes, mais j'étais toujours en panne pour la préface. C'est d'ailleurs, curieusement, à l'occasion d'une recherche Internet sur Huysmans que je tombai sur l'un des plus remarquables articles de Rediger, paru cette fois dans la *Revue européenne*. Huysmans n'y était qu'incidemment cité, comme l'auteur chez lequel l'impasse du naturalisme et du matérialisme apparaissait avec la plus grande évidence ; mais l'ensemble de l'article était un énorme appel du pied à ses anciens camarades traditionalistes et identitaires. Il était tragique, plaidait-il avec ferveur, qu'une hostilité irraisonnée à l'islam les empêche de reconnaître cette évidence : ils étaient, sur l'essentiel, en parfait accord avec les musulmans. Sur le rejet de l'athéisme et de l'humanisme, sur la nécessaire soumission de la femme, sur le retour au patriarcat : leur combat, à tous points de vue, était exactement le même. Et ce combat nécessaire pour l'instauration d'une nouvelle phase organique de civilisation ne pouvait plus, aujourd'hui, être mené au nom du christianisme ; c'était l'islam, religion sœur, plus récente, plus simple et plus vraie (car pourquoi Guénon par exemple s'était-il converti à l'islam ? Guénon était avant tout un esprit scientifique, et il avait choisi l'islam en scientifique, par économie de concepts ; et pour éviter, aussi, certaines croyances irrationnelles marginales, telles que la présence réelle dans l'Eucharistie), c'était l'islam, donc, qui avait aujourd'hui repris le flambeau. À force de minauderies, de chatteries et de pelotage honteux des progressistes, l'Église catholique était devenue incapable de s'opposer à la décadence des mœurs. De rejeter nettement, vigoureusement, le mariage homosexuel, le droit à l'avortement et le travail des femmes. Il fallait se rendre à l'évidence : parvenue à un degré de décomposition répugnant, l'Europe occidentale n'était plus en état de se sauver elle-même – pas davantage que ne l'avait été la Rome antique au Ve siècle de notre ère. L'arrivée massive de populations immigrées empreintes d'une culture traditionnelle encore marquée par les hiérarchies naturelles, la soumission de la femme et le respect dû aux anciens constituait une chance historique pour le réarmement moral et familial de l'Europe, ouvrait la perspective d'un nouvel âge d'or pour le vieux continent. Ces populations étaient parfois chrétiennes ; mais elles étaient le plus souvent, il fallait le reconnaître, musulmanes.

Il était, lui, Rediger, le premier à reconnaître que la chrétienté médiévale avait été une grande civilisation, dont les accomplissements artistiques resteraient éternellement vivants dans la mémoire des hommes ; mais peu à peu elle avait perdu du terrain, elle avait dû composer avec le rationalisme, renoncer à se soumettre le pouvoir temporel, ainsi peu à peu elle s'était condamnée, et cela pourquoi ? Au fond, c'était un mystère ; Dieu en avait décidé ainsi.

Peu après je reçus le *Dictionnaire d'argot moderne* de Rigaud, paru chez Ollendorff en 1881, que j'avais commandé il y a longtemps, et qui me permit de lever certaines incertitudes. Comme je le soupçonnais, le « claquedent » n'était pas une invention de Huysmans, mais désignait une maison close ; et le « clapier », plus généralement, un lieu de prostitution. Presque toutes les relations sexuelles de Huysmans avaient eu lieu avec des prostituées, et sa correspondance avec Arij Prins était très complète sur le chapitre des maisons closes européennes. En parcourant cette correspondance, j'eus soudain la sensation que je devais me rendre à Bruxelles. Je n'avais pas à cela de raison évidente. Bien sûr Huysmans avait été publié à Bruxelles, mais à vrai dire presque tous les auteurs importants de la seconde moitié du XIXe siècle avaient dû à un moment donné, pour échapper à la censure, recourir aux services d'un éditeur belge, Huysmans comme les autres, et ce voyage ne m'était pas, à l'époque de la rédaction de ma thèse, apparu comme indispensable ; je m'y étais rendu quelques années plus tard, au fond davantage pour Baudelaire ; c'étaient surtout la saleté et la tristesse de la ville qui m'avaient frappé, ainsi que la haine palpable, plus encore qu'à Paris ou à Londres, entre les communautés : à Bruxelles on se sentait, plus que dans toute autre capitale européenne, au bord de la guerre civile.

Tout récemment, le Parti musulman de Belgique venait d'accéder au pouvoir. L'événement était en général considéré comme important, au point de vue de l'équilibre politique européen. Bien sûr, des partis musulmans nationaux appartenaient déjà à des coalitions de gouvernement en Angleterre, en Hollande et en Allemagne ; mais la Belgique était le deuxième pays, après la France, où le parti musulman se retrouvait en position majoritaire. Cet échec sanglant des droites européennes avait dans le cas de la Belgique une explication simple : alors que les partis nationalistes flamand et wallon, de loin les premières formations politiques dans leurs régions respectives, n'avaient jamais réussi à s'entendre ni même à engager véritablement un dialogue, les partis musulmans flamand et wallon, sur la base d'une religion commune, étaient très facilement parvenus à un accord de gouvernement.

La victoire du Parti musulman de Belgique avait immédiatement été saluée par un message chaleureux de Mohammed Ben Abbes ; la biographie de son secrétaire général, Raymond Stouvenens, présentait d'ailleurs certains points communs avec celle de Rediger : il avait appartenu au mouvement identitaire, dont il avait été un cadre important – sans jamais se compromettre avec ses fractions ouvertement néofascistes – avant de se convertir à l'islam.

Le service de restauration du Thalys proposait maintenant le choix entre un menu traditionnel et un menu hallal. C'était la première transformation visible – et c'était, également, la seule : les rues étaient toujours aussi sales, et l'hôtel Métropole, même si son bar était fermé, avait conservé une grande partie de son ancienne splendeur. Je ressortis vers dix-neuf heures, il faisait encore plus froid qu'à Paris, les trottoirs étaient recouverts d'une neige noirâtre. C'est dans un restaurant de la rue de la Montagne-aux-Herbes-Potagères, hésitant entre un waterzooi de poulet et une anguille au vert, que j'eus soudain la certitude que je comprenais totalement Huysmans, mieux qu'il ne s'était compris lui-même, et que je pouvais maintenant rédiger ma préface, il fallait que je rentre à l'hôtel pour prendre des notes, je ressortis du restaurant sans avoir commandé. Le *room service* proposait du waterzooi de poulet, ce qui réglait définitivement la question. Ç'aurait été une erreur d'accorder trop d'importance aux « débauches » et aux « noces » complaisamment évoquées par Huysmans, il y avait surtout là un tic naturaliste, un cliché d'époque, lié aussi à la nécessité de faire scandale, de choquer le bourgeois, en définitive à un plan de carrière ; et l'opposition qu'il établissait entre les appétits charnels et les rigueurs de la vie monastique n'avait pas davantage de pertinence. La chasteté

295

n'était pas un problème, elle ne l'avait jamais été, pas plus pour Huysmans que pour n'importe qui, et mon bref séjour à Ligugé n'avait fait que me le confirmer. Soumettez l'homme à des impulsions érotiques (extrêmement standardisées d'ailleurs, les décolletés et les mini-jupes ça marche toujours, *tetas y culo* disent de manière parlante les Espagnols), il éprouvera des désirs sexuels ; supprimez lesdites impulsions, il cessera d'éprouver ces désirs et en l'espace de quelques mois, parfois de quelques semaines, il perdra jusqu'au souvenir de la sexualité, jamais en réalité cela n'avait posé le moindre problème aux moines et d'ailleurs moi-même, depuis que le nouveau régime islamique avait fait évoluer l'habillement féminin vers davantage de décence, je sentais peu à peu mes impulsions s'apaiser, je passais parfois des journées entières sans y songer. La situation des femmes était peut-être légèrement différente, l'impulsion érotique chez les femmes étant plus diffuse et partant plus difficile à vaincre, mais enfin je n'avais vraiment pas le temps d'entrer dans des détails hors sujet, je prenais des notes avec frénésie, après avoir terminé mon water-zooi je commandai un plateau de fromages, non seulement le sexe n'avait jamais eu chez Huysmans l'importance qu'il lui supposait mais en définitive la mort non plus, les angoisses existentielles n'étaient pas son fait, ce qui l'avait tant frappé dans la célèbre crucifixion de Grünewald n'était pas la représentation de l'agonie du Christ mais bel et bien de ses souffrances physiques, et en cela aussi Huysmans était exactement semblable aux autres hommes, leur propre mort leur est en général à peu près indifférente, leur seule préoccupation réelle, leur vrai souci, c'est d'échapper autant que possible à la souffrance physique. Jusque dans le domaine de la critique artistique, les positions exprimées par Huysmans étaient trompeuses. Il avait violemment pris le parti des impressionnistes alors qu'ils se heurtaient à l'académisme de leur temps, il avait écrit des pages admiratives sur des peintres comme Gustave Moreau ou Odilon Redon ; mais lui-même, dans ses propres romans, se rattachait moins à l'impressionnisme ou au symbolisme qu'à une tradition picturale largement plus ancienne, celle des maîtres flamands. Les visions oniriques d'*En rade*, qui auraient pu en effet rappeler certaines bizarreries de la peinture symboliste, étaient en définitive plutôt ratées, elles laissaient en tout cas un souvenir bien moins vif que ses descriptions chaleureuses, intimistes, des repas chez les Carhaix dans *Là-bas*. Je pris alors conscience que j'avais oublié *Là-bas* à Paris, il fallait que je rentre, je me connectai à Internet, le premier Thalys partait à cinq heures, à sept heures du matin j'étais chez moi et je retrouvai les passages où il décrivait la cuisine de « maman Carhaix », comme il l'appelait, le seul vrai sujet de Huysmans était le bonheur bourgeois, un bonheur bourgeois douloureusement inaccessible au célibataire, et qui n'était même pas celui de la haute bourgeoisie, la cuisine célébrée dans *Là-bas* était plutôt ce qu'on aurait pu appeler une honnête cuisine de ménage, encore moins celui de l'aristocratie, il n'avait jamais manifesté que mépris pour les « gourdes armoriées » fustigées dans *L'oblat*. Ce qui représentait vraiment le bonheur à ses yeux, c'était un joyeux repas entre artistes et entre amis, un pot-au-feu avec sa sauce au raifort, accompagné d'un vin « honnête », et puis un alcool de prune et du tabac, au coin du poêle, alors que les rafales du vent hivernal battent les tours de Saint-Sulpice. Ces plaisirs simples, la vie les avait refusés à Huysmans, et il fallait être aussi insensible et brutal que Bloy pour s'étonner de le voir pleurer lors de la mort en 1895 d'Anna Meunier, sa seule relation féminine durable, la seule femme avec laquelle il avait pu, brièvement, se mettre « en ménage », avant que la maladie nerveuse d'Anna, à l'époque incurable, ne l'oblige à se faire interner à Sainte-Anne.

Dans la journée je sortis acheter cinq cartouches de cigarettes, puis je retrouvai la carte du traiteur libanais, et deux semaines plus tard ma préface était bouclée. Une dépression venue des Açores venait d'aborder la France, il y avait quelque chose de légèrement humide et printanier dans l'air, comme une douceur louche. L'année dernière encore, dans de telles conditions météorologiques, on aurait vu apparaître les premières jupes courtes. Après l'avenue de Choisy je continuai avenue des Gobelins, puis rue Monge. Dans un café proche de l'Institut du monde arabe, je relus ma quarantaine de feuillets. Il y avait des détails de ponctuation à revoir, quelques références à préciser, mais, quand même, il n'y avait aucun doute : c'était ce que j'avais fait de mieux ; et c'était, aussi, le meilleur texte jamais écrit sur Huysmans.

Je rentrai doucement à pied, comme un petit vieux, prenant progressivement conscience que, cette fois, c'était vraiment la fin de ma vie intellectuelle ; et que c'était aussi la fin de ma longue, très longue relation avec Joris-Karl Huysmans.

Je n'allais naturellement pas annoncer la nouvelle à Bastien Lacoue ; je savais qu'il lui faudrait au moins un an, peut-être deux, avant de s'inquiéter de la terminaison de l'affaire ; j'allais avoir tout le temps de raffiner mes notes de bas de page, enfin j'abordais une période supercool de ma vie.

Cool sans plus, tempérai-je en ouvrant ma boîte à lettres, pour la première fois depuis mon retour de Bruxelles ; demeuraient les problèmes administratifs, et l'administration « ne dort jamais ».

Je ne me sentais, pour l'instant, le courage d'ouvrir aucune de ces enveloppes ; j'avais en quelque sorte pendant deux semaines été *transporté dans les régions de l'idéal*, enfin j'avais à mon modeste niveau *créé* ; revenir dès maintenant à mon statut de sujet administratif ordinaire me paraissait un peu rude. Il y avait une enveloppe intermédiaire, qui provenait de l'Université de Paris IV – Sorbonne. Ah ah, me dis-je.

Mon « ah ah » gagna en consistance lorsque je découvris son contenu : j'étais invité, et cela se passait dès le lendemain, aux cérémonies accompagnant l'entrée en fonction en tant que professeur de l'université de Jean-François Loiseleur. Il y aurait réception officielle dans l'amphi Richelieu, discours ; puis un cocktail dans une salle adjacente prévue à cet effet.

Je me souvenais parfaitement de Loiseleur, c'était lui qui m'avait introduit au *Journal des dix-neuvièmistes*, bien des années auparavant. Il était entré dans la carrière universitaire après une thèse originale consacrée aux derniers poèmes de Leconte de Lisle. Considéré avec Heredia comme le chef de file des parnassiens, Leconte de Lisle était en général à ce titre méprisé, considéré comme un « honnête artisan sans génie », pour parler comme les auteurs d'anthologies. Il avait pourtant, sous l'effet d'une sorte de crise mystico-cosmologique, écrit dans ses vieux jours certains poèmes étranges, qui ne ressemblaient pas du tout à ce qu'il avait écrit auparavant, ni à ce qu'on écrivait à son époque, qui ne ressemblaient à vrai dire à peu près à rien du tout, et dont on pouvait juste dire à première vue qu'ils étaient *complètement barrés*. Loiseleur avait eu le premier mérite de les exhumer, et le second de parvenir à en dire un peu plus, sans pour autant parvenir à les inscrire dans une filiation littéraire réelle – il convenait plutôt selon lui de les rapprocher de certains phénomènes intellectuels contemporains du parnassien vieillissant, tels que la théosophie et le mouvement spirite. Il avait ainsi acquis, dans ce domaine où il n'avait aucun concurrent, une certaine notoriété – sans pouvoir prétendre à la stature internationale d'un

Gignac, il était régulièrement invité à donner des conférences à Oxford et à St Andrews.

À titre personnel, Loiseleur correspondait remarquablement bien à son sujet d'études ; jamais je n'avais rencontré personne évoquant à ce point le personnage du savant Cosinus : cheveux longs, gris et sales, lunettes de vue énormes, costumes dépareillés et dans un tel état qu'il paraissait souvent à la limite de l'hygiène, il inspirait par là même une sorte de respect teinté de pitié. Il n'avait certainement pas l'intention de *jouer un personnage* : il était simplement comme ça, et ne pouvait être autrement ; c'était par ailleurs l'homme le plus gentil, le plus doux du monde, dénué de vanité absolument. L'enseignement en lui-même, impliquant malgré tout une certaine forme de contact avec des êtres humains de nature variée, l'avait toujours terrifié ; comment Rediger avait-il réussi à le convaincre ? Oui, j'allais me rendre au moins au cocktail ; j'étais curieux de savoir.

Dotées d'un petit cachet historique et d'une adresse réellement prestigieuse, les salles de réception de la Sorbonne n'étaient de mon temps jamais utilisées pour des raouts universitaires, mais assez souvent louées, à un tarif indécent, pour des défilés de mode et autres événements *people* ; ce n'était peut-être pas très honorable, mais bien utile pour boucler le budget de fonctionnement. Les nouveaux propriétaires saoudiens avaient mis bon ordre à tout cela, et l'endroit avait retrouvé, sous leur impulsion, une certaine dignité académique. En pénétrant dans la première salle, je retrouvai avec bonheur les bannières du traiteur libanais qui m'avait accompagné pendant toute la rédaction de ma préface. Je connaissais maintenant le menu par cœur, et je commandai avec autorité mon assiette. L'assistance était composée de l'habituel mélange d'universitaires français et de dignitaires arabes ; mais il y avait cette fois beaucoup de Français, j'avais l'impression que tous les enseignants étaient venus. C'était assez compréhensible : se plier à la férule du nouveau régime saoudien était encore considéré par beaucoup comme un acte un peu honteux, un acte pour ainsi dire de *collaboration* ; en se réunissant entre eux ils faisaient nombre, se donnaient mutuellement du courage, et leur satisfaction était grande lorsque l'occasion leur était donnée d'accueillir un nouveau collègue.

Immédiatement après avoir été servi de mes mezzes, je me retrouvai nez à nez avec Loiseleur. Il avait changé : sans être absolument présentable, son aspect extérieur était en net progrès. Ses cheveux, toujours longs et sales, étaient presque peignés ; la veste et le pantalon de son costume étaient à peu près de la même teinte, et ne s'ornaient d'aucune tache de graisse, ni d'aucune brûlure de cigarette ; on pouvait sentir, j'en avais du moins l'impression, qu'une main féminine avait commencé à agir.

« Eh oui… » me confirma-t-il sans que je lui aie rien demandé, « j'ai *sauté le pas*. Curieux, je n'y avais jamais pensé avant, et finalement c'est très agréable. Content de vous revoir, au fait. Et vous, comment ça va ?

— Vous vous êtes *marié*, vous voulez dire ? »,
j'avais besoin d'une confirmation.

— Oui oui, marié, c'est cela. Très étrange
au fond, une seule chair n'est-ce pas, mais très
bien. Et vous, comment ça va ? »

Il aurait aussi bien pu m'annoncer qu'il était
devenu *junkie*, ou adepte des sports de glisse,
rien ne pouvait réellement me surprendre,
concernant Loiseleur ; mais ça me faisait quand
même un choc, et je répétai stupidement, l'œil
fixé sur la barrette de la Légion d'honneur
qui ornait sa répugnante veste bleu pétrole :
« *Marié* ? Avec une *femme* ? » Je devais m'imaginer qu'il était vierge, à l'âge de soixante ans ;
et après tout c'était possible.

« Oui oui, une femme, ils m'ont trouvé ça »
confirma-t-il en hochant la tête avec vigueur.
« Une étudiante de deuxième année. »

J'en restai sans voix, et il fut alors entre-
pris par un collègue, un petit vieux excentrique
dans son genre, mais quand même plus propre
– un dix-septièmiste me semblait-il, spécialiste des burlesques, et auteur d'un ouvrage
sur Scarron. Peu après j'aperçus Rediger au
milieu d'un petit groupe, à l'autre extrémité
de la galerie où avait lieu la réception. Ces
derniers temps, plongé dans ma préface, je
n'avais pas beaucoup pensé à lui, et je m'aperçus alors que j'étais vraiment content de le
revoir. Il me salua de son côté avec chaleur.
Je devais maintenant l'appeler « Monsieur le
ministre », plaisantai-je. « C'est comment, la
politique ? C'est vraiment dur ? » demandai-je
plus sérieusement.

— Oui. Ce qu'on en raconte n'est pas du tout exagéré. J'étais habitué aux luttes de pouvoir dans un contexte universitaire ; mais là c'est un cran au-dessus. Cela dit, Ben Abbes est vraiment un type remarquable ; je suis fier de travailler avec lui. »

Je me souvins alors de Tanneur, du rapprochement qu'il avait fait avec l'empereur Auguste, le soir où nous avions dîné ensemble dans sa maison du Lot ; la comparaison parut intéresser Rediger, lui donner à penser. Les négociations avec le Liban et l'Égypte avançaient bien, me dit-il ; et des premiers contacts avaient été pris avec la Libye et la Syrie, où Ben Abbes avait réactivé des amitiés personnelles avec les Frères musulmans locaux. De fait, il essayait tout simplement de refaire en moins d'une génération, et par les seules voies de la diplomatie, ce que l'Empire romain avait mis des siècles à accomplir – en y ajoutant de surcroît, et ce sans coup férir, les vastes territoires de l'Europe du Nord allant jusqu'à l'Estonie, la Scandinavie et l'Irlande. Il avait qui plus est le sens du symbole, et s'apprêtait à déposer une proposition de directive européenne visant à transférer le siège de la Commission à Rome, et celui du Parlement à Athènes. « Rares sont les bâtisseurs d'empire... » ajouta pensivement Rediger. « C'est un art difficile que de faire tenir ensemble des nations séparées par la religion et par la langue, de les faire adhérer à un projet politique commun. À part l'Empire romain je ne vois guère que l'Empire ottoman, sur une échelle plus restreinte. Napoléon aurait sans doute eu les qualités nécessaires – sa gestion du dossier israélite est remarquable, et il a montré au cours de l'expédition d'Égypte qu'il était parfaitement capable, aussi, de traiter avec l'islam. Ben Abbes, oui… Il se peut que Ben Abbes soit de la même trempe… »

Je hochai la tête avec enthousiasme, bien que la référence à l'Empire ottoman me dépasse un peu, mais je me sentais à l'aise dans cette ambiance éthérée, flottante, de conversation courtoise entre gens instruits. Forcément, ensuite, nous en vînmes à parler de ma préface ; il m'était difficile de me détacher de ce travail sur Huysmans qui m'avait plus ou moins sourdement occupé pendant des années – ma vie en définitive n'avait pas eu d'autre objectif, constatai-je avec un peu de mélancolie, sans en faire part à mon interlocuteur, c'était un peu trop emphatique, mais ce n'en était pas moins vrai. Il m'écoutait d'ailleurs avec attention, sans manifester le moindre signe d'ennui. Un serveur passa, nous resservit.

« J'ai lu votre livre, aussi, dis-je.

— Ah… Je suis heureux que vous ayez pris le temps de le faire. C'était inhabituel, pour moi, ce petit exercice de vulgarisation. J'espère que vous avez trouvé ça clair.

— Oui, très clair dans l'ensemble. Enfin, il m'est quand même venu des questions. »

Nous fîmes quelques pas vers l'embrasure d'une fenêtre, ce n'était pas grand-chose mais c'était suffisant pour nous mettre à l'écart du flux principal des invités, qui circulaient d'un bout à l'autre de la galerie. Par la croisée on distinguait, baignées d'une lumière blanche et froide, les colonnades et le dôme de la chapelle qu'avait fait bâtir Richelieu ; je me souvenais que son crâne y était conservé. « Un grand homme d'État aussi, Richelieu… » dis-je sans vraiment y avoir réfléchi, mais Rediger embraya aussitôt : « Oui, je suis bien d'accord avec vous, ce que Richelieu a accompli pour la France est remarquable. Les rois de France étaient parfois médiocres, ce sont les hasards de la génétique qui veulent ça ; mais les grands ministres ne pouvaient pas l'être, en aucun cas. Ce qui est curieux, c'est qu'on est maintenant en démocratie, et que l'écart est toujours aussi fort. Je vous ai dit tout le bien que je pensais de Ben Abbes ; mais Bayrou par contre est vraiment un crétin, un animal politique sans consistance, tout juste bon à prendre des postures avantageuses dans les médias ; heureusement, c'est en pratique Ben Abbes qui a tout le pouvoir. Vous allez me dire que je suis obsédé par Ben Abbes, mais Richelieu lui aussi m'y ramène : parce que Ben Abbes s'apprête, comme Richelieu, à rendre d'immenses services à la langue française. Avec l'adhésion des pays arabes, l'équilibre linguistique européen va se déplacer en faveur de la France. Tôt ou tard, vous verrez, il y aura un projet de directive imposant le français, à parité avec l'anglais, comme langue de travail des institutions européennes. Mais je ne fais que parler politique, excusez-moi… Vous aviez, me disiez-vous, des questions sur mon livre ?

— Eh bien... », repris-je après un silence prolongé, « c'est un peu embarrassant, mais j'ai naturellement lu le chapitre sur la polygamie, et voyez-vous il m'est un peu difficile de me considérer comme un mâle dominant. J'y repensais ce soir en arrivant à la réception, en voyant Loiseleur. Franchement, les professeurs d'université...

— Là, je peux vous le dire nettement : vous avez tort. La sélection naturelle est un principe universel, qui s'applique à tous les êtres vivants, mais elle prend des formes très différentes. Elle existe même chez les végétaux ; mais dans ce cas elle est liée à l'accès aux nutriments du sol, à l'eau, à la lumière solaire... L'homme, lui, est un animal, c'est entendu ; mais ce n'est ni un chien de prairie, ni une antilope. Ce qui lui assure sa position dominante dans la nature, ce ne sont ni ses griffes, ni ses dents, ni la rapidité de sa course ; c'est bel et bien son intelligence. Donc, je vous le dis tout à fait sérieusement : il n'y a rien d'anormal à ce que les professeurs d'université soient rangés parmi les mâles dominants. »

Il sourit à nouveau. « Vous savez... Lors de l'après-midi que nous avons passée chez moi, nous avons parlé métaphysique, création de l'Univers, etc. Je suis bien conscient que ce n'est pas ça qui intéresse vraiment, en général, les hommes ; mais les vrais sujets sont, comme vous le disiez, plus embarrassants à aborder. Encore maintenant d'ailleurs nous parlons de sélection naturelle, nous essayons de maintenir la conversation à un niveau raisonnablement élevé. C'est bien évidemment difficile de demander directement : quel va être mon traitement ? à combien de femmes vais-je avoir droit ?

— Pour le traitement, je suis déjà à peu près au courant.

— Eh bien le nombre de femmes, en gros, en découle. La loi islamique impose que les épouses soient traitées avec égalité, ce qui impose déjà certaines contraintes, ne serait-ce qu'en termes de logement. Dans votre cas, je pense que vous pourriez avoir trois épouses sans grande difficulté – mais vous n'y êtes, bien entendu, nullement obligé. »

Cela donnait, évidemment, à réfléchir ; mais j'avais une autre question, encore plus embarrassante ; je jetai un regard rapide autour de moi, vérifiant que personne ne pouvait nous entendre, avant de poursuivre.

« Il y a aussi... Enfin, là, c'est vraiment délicat... Disons que le vêtement islamique a ses avantages, l'ambiance générale de la société est devenue plus calme, mais qu'il est quand même très... couvrant, dirais-je. Lorsqu'on est en situation d'avoir à choisir, ça peut poser certains problèmes... »

Le sourire de Rediger s'élargit encore. « Ne vous sentez pas gêné d'en parler, vraiment ! Vous ne seriez pas un homme si vous n'aviez pas ce genre de préoccupations... Mais je vais vous poser une question qui va peut-être vous paraître surprenante : avez-vous vraiment envie de choisir ?

— Eh bien... oui. Il me semble que oui.

— N'est-ce pas un peu une illusion ? On observe que tous les hommes, mis en situation de choisir, font exactement les mêmes choix. C'est ce qui a conduit la plupart des civilisations, en particulier la civilisation musulmane, à la création des marieuses. C'est une profession très importante, réservée aux femmes d'une grande expérience et d'une grande sagesse. Elles ont bien évidemment le droit, en tant que femmes, de voir les jeunes filles dénudées, de procéder à ce qu'il faut bien appeler une espèce d'évaluation, et de mettre en relation leur physique avec le statut social des futurs époux. Dans votre cas, je peux vous garantir que vous n'aurez pas à vous plaindre... »

Je me tus. J'en restai bouche bée, à vrai dire.

« Incidemment, poursuivit Rediger, si l'espèce humaine est un petit peu apte à évoluer, c'est bien à la plasticité intellectuelle des femmes qu'elle le doit. L'homme, lui, est rigoureusement inéducable. Fût-il un philosophe du langage, un mathématicien ou un compositeur de musique sérielle, il opérera toujours, inexorablement, ses choix reproductifs sur des critères purement physiques, et des critères inchangés depuis des millénaires. Originellement, bien sûr, les femmes sont elles aussi avant tout attirées par les avantages physiques ; mais on peut, avec une éducation appropriée, parvenir à les convaincre que l'essentiel n'est pas là. On peut, déjà, les amener à être attirées par les hommes riches – et, après tout, s'enrichir demande déjà un peu plus d'intelligence et d'astuce que la moyenne. On peut même, dans une certaine mesure, les persuader de la haute valeur éro- tique des professeurs d'université... » Il souriait de plus belle, je me demandai un instant s'il iro- nisait, mais en fait non, je ne crois pas. « Bon, on peut aussi accorder aux profs un traitement élevé, ça simplifie quand même les choses... » conclut-il.

Il m'ouvrait, en quelque sorte, des horizons, et je me demandai si Loiseleur avait fait appel aux services d'une marieuse ; mais poser la question, c'était déjà y répondre : pouvais-je imaginer mon ancien collègue *draguer* des étu- diantes ? Dans un cas comme dans le sien, le mariage arrangé était à l'évidence la seule for- mule.

La réception touchait à sa fin, et la nuit était d'une douceur surprenante ; je rentrai chez moi à pied, sans vraiment penser pourtant, en rêvassant en quelque sorte. Que ma vie intel- lectuelle soit terminée, c'était de plus en plus une évidence, enfin je participerais encore à de vagues colloques, je vivrais sur mes restes et sur mes rentes ; mais je commençais à prendre conscience – et ça, c'était une vraie nouveauté – qu'il y aurait, très probablement, autre chose.

Quelques semaines allaient encore s'écouler, comme une espèce de délai de décence, pendant lesquelles la température allait peu à peu se radoucir, et le printemps s'installer sur la région parisienne ; et puis, bien entendu, je rappellerais Rediger.

Il surjouerait légèrement sa propre joie, surtout par délicatesse, parce qu'il tiendrait à se montrer surpris, pour me laisser l'impression d'un *libre arbitre* ; il serait réellement heureux de mon acceptation, je le savais, mais au fond il la tenait déjà pour acquise, sans doute depuis longtemps, peut-être même depuis l'après-midi que j'avais passée chez lui rue des Arènes – je n'avais nullement cherché alors à dissimuler l'impression que me causaient les avantages physiques d'Aïcha, ni les petits pâtés chauds de Malika. Les femmes musulmanes étaient dévouées et soumises, je pouvais compter là-dessus, elles étaient élevées dans ce sens, et pour donner du plaisir au fond cela suffit ; quant à la cuisine je m'en foutais un peu, j'étais moins délicat que Huysmans sur ce chapitre, mais de toute façon elles recevaient une éducation appropriée, il devait être bien rare qu'on ne parvienne pas à en faire des ménagères au moins potables.

La cérémonie de la conversion, en elle-même, serait très simple ; elle se déroulerait probablement à la Grande mosquée de Paris, c'était plus pratique pour tout le monde. Vu ma relative importance le recteur serait présent, ou du moins l'un de ses collaborateurs proches. Rediger serait là aussi, bien entendu. Le nombre d'assistants n'était de toute façon pas imposé ; il y aurait d'ailleurs sans doute aussi quelques fidèles ordinaires, la mosquée n'était pas fermée pour l'occasion, c'était un témoignage que je devais porter devant mes nouveaux frères musulmans, mes égaux devant Dieu.

Dans la matinée le hammam me serait spécialement ouvert, il était d'ordinaire fermé aux hommes ; vêtu d'un peignoir, je traverserais de longs couloirs aux colonnades surmontées d'arches, aux murs ornés de mosaïques d'une finesse extrême ; puis, dans une salle plus petite, ornée elle aussi de mosaïques raffinées, baignée d'un éclairage bleuté, je laisserais l'eau tiède couler longuement, très longuement, sur mon corps, jusqu'à ce que mon corps soit purifié. Je me rhabillerais ensuite, j'aurais prévu des vêtements neufs ; puis j'entrerais dans la grande salle, dédiée au culte.

Le silence se ferait autour de moi. Des images de constellations, de supernovas, de nébuleuses spirales me traverseraient l'esprit ; des images de sources aussi, de déserts minéraux et inviolés, de grandes forêts presque vierges ; peu à peu, je me pénétrerais de la grandeur de l'ordre cosmique. Puis, d'une voix calme, je prononcerais la formule suivante, que j'aurais phonétiquement apprise : « Ach-Hadou ane lâ ilâha illa lahou wa ach-hadou anna Mouhamadane rassouloullahi. » Ce qui signifiait, exactement : « Je témoigne qu'il n'y a d'autre divinité que Dieu, et que Mahomet est l'envoyé de Dieu. » Et puis ce serait fini ; je serais, dorénavant, un musulman.

La réception à la Sorbonne serait beaucoup plus longue. Rediger s'orientait de plus en plus vers la carrière politique, et venait d'être nommé ministre des Affaires étrangères, il n'avait plus beaucoup de temps à consacrer à ses fonctions de président d'université ; il tiendrait, cependant, à prononcer lui-même mon discours d'intronisation (et je savais, j'étais certain qu'il aurait préparé un excellent discours, et qu'il se ferait une joie de le prononcer). Tous mes collègues seraient présents – la nouvelle de ma Pléiade s'était répandue dans les milieux universitaires, ils étaient maintenant tous au courant, je n'étais certainement pas une relation à négliger ; et tous seraient vêtus de toges, les autorités saoudiennes avaient récemment rétabli le port de ce vêtement d'apparat.

J'aurais certainement, avant de prononcer mon discours de réponse (qui serait, selon la tradition, fort bref), une ultime pensée pour Myriam. Elle allait mener sa propre vie, je le savais, dans des conditions beaucoup plus difficiles que les miennes. Je souhaiterais sincèrement que sa vie soit heureuse – même si je n'y croyais pas beaucoup.

Le cocktail serait gai, et se prolongerait fort tard.

Quelques mois plus tard il y aurait la reprise des cours, et bien entendu les étudiantes – jolies, voilées, timides. Je ne sais pas comment les informations sur la notoriété des enseignants circulaient parmi les étudiantes, mais elles circulaient depuis toujours, c'était inévitable, et je ne pensais pas que les choses aient significativement changé. Chacune de ces filles, aussi jolie soit-elle, se sentirait heureuse et fière d'être choisie par moi, et honorée de partager ma couche. Elles seraient dignes d'être aimées ; et je parviendrais, de mon côté, à les aimer.

Un peu comme cela s'était produit, quelques années auparavant, pour mon père, une nouvelle chance s'offrirait à moi ; et ce serait la chance d'une deuxième vie, sans grand rapport avec la précédente.

Je n'aurais rien à regretter.

Remerciements

Je n'ai pas fait d'études universitaires, et toutes mes informations sur cette institution, je les ai recueillies auprès d'Agathe Novak-Lechevalier, maître de conférences à l'université de Paris X – Nanterre. Si mes affabulations s'inscrivent dans un cadre à peu près crédible, c'est uniquement à elle que je le dois.

11631

Composition
NORD COMPO

Achevé d'imprimer en Espagne (Barcelone)
par CPI BOOKS IBERICA
le 4 décembre 2016

Dépôt légal décembre 2016
EAN 9782290113615
OTP L21EPLN001851N001

ÉDITIONS J'AI LU
87, quai Panhard-et-Levassor, 75013 Paris

Diffusion France et étranger : Flammarion